KB036073

무림오적
武林五賊

무림오적 43

초판 1쇄 발행 2022년 6월 29일

지은이 | 백야
발행인 | 신현호
편집장 | 이호준
편집부 | 송영규 최종건 정재웅 양동훈 곽원호 조정범 강준석 최성화
편집디자인 | 한방울
영업 | 김민원

펴낸곳 | ㈜디앤씨미디어
등록 | 2002년 4월 25일 제20-260호
주소 | 서울시 구로구 디지털로 26길 111 JnK디지털타워 503호
전화 | 02-333-2513(대표)
팩시밀리 | 02-333-2514
E-mail | papy_dnc@dncmedia.co.kr
블로그 | blog.naver.com/gnpdl7

ISBN 978-89-267-1898-8 04810
ISBN 978-89-267-3458-2 (SET)

백야 신무협 장편소설

PAPYRUS ORIENTAL FANTASY

43

무림오적

武林五賊

PAPYRUS
파피루스

1장.

뒷이야기

간간이 불어오는 새벽바람의 고마움을, 따스하고 온유한 달빛의 감사함을,
맑고 깨끗한 공기의 소중함을 그는 까마득하게 잊고 살아왔다.

1. 고 씨 일행

황태자비의 장례는 결국 칠일장(七日葬)으로 결정되었다. 염습 및 입관이 끝나는 이틀째부터 엿새까지 조문을 받고 죽은 자를 기린 후 칠 일째 되는 날 발인반차(發引班次), 즉 궁을 떠나 정해진 능지로 향하여 그곳에 매장하게 된다.

시신을 묻는 것으로 장례가 끝나는 건 아니었다.

가까운 곳이라면 모르되 북경부에서 멀리 떨어진 곳에 주재하고 있는 고위 관리들의 조문이나 다른 나라의 조문 사절은 그 이후에도 계속 이어질 수밖에 없었다.

그래서 황제의 국장(國葬)은 무려 삼 년에 걸쳐 계속되기도 했다. 태자비의 장례 역시 초상(初喪) 이후 몇 달은 지속될 터였다.

때는 그 어느 때보다도 무더운 유월 말이었다. 물론 태자비의 입안에 넣는 구슬 중에는 피서주(避暑珠)도 있었지만 그것만으로는 시신의 부패와 훼손을 막기 힘들었다.

시신 아래 얼음을 까는 설빙(設氷)의 작업이 하루에도 서너 차례나 계속 이어지면서 자금성의 열두 곳, 그리고 궁 밖에 있는 서른여섯 곳의 크고 작은 빙고(氷庫)에서는 쉬지 않고 얼음을 꺼내 황궁으로 배달되었다.

갑작스레 일거리가 늘어나자 각 빙고에서는 임시로 수십 명의 일꾼들을 동원하였는데, 고(高) 씨(氏) 일행도 바로 그렇게 수배된 일꾼들이었다.

사십 대 초중반의 고 씨는 마른 체형에 극히 평범해 보이는 사내였지만, 의외로 힘이 좋고 일솜씨가 뛰어나 북천빙고(北川氷庫) 책임자인 왕(王) 고주(庫主)의 눈에 들었다.

"이제부터 자네가 책임지고 궁까지 얼음들을 운반하게. 급여는 갑절로 오르겠지만 행여 깨뜨리거나 분실하면 목숨을 잃을 게야."

"감사합니다."

고 씨는 기뻐하며 허리를 숙였다.

"이게 모두 왕 어르신께서 잘 가르쳐 주신 덕분입니다. 제 목숨을 걸고 얼음을 지키겠습니다."

"좋아."

왕 고주는 흡족한 표정을 지은 채 돌아섰다.

고 씨는 자신과 함께 일꾼으로 온 동료들을 모아 말했다.

"이제 당당히 궁으로 들어갈 수 있게 되었다. 시간이 별로 없으니 오늘 당장 시작하자."

십여 명의 동료들 눈빛에 희미한 살기가 스며들었다.

그들은 곧 다섯 대의 수레 가득 얼음을 싣고서 다른 일꾼들과 함께 자금성으로 향했다.

빙고는 석빙굴이라고도 하는데, 곧 얼음 저장고를 뜻했다.

겨울 강물이 얼어서 자연적으로 생성된 얼음을 약 이천 근가량의 크기로 잘라 각각의 빙고에 저장해 둔다.

그렇게 보관한 수백 개의 커다란 얼음 덩어리들은 다음 해 여름에 황제와 황족들을 위해 긴요하게 사용된다. 또한 한여름에는 음식 재료들이 상하지 않도록 저장하는 용도로도 사용된다.

이 시대의 빙고는 모두 마흔여덟 곳으로, 무더위가 일찍 시작되는 바람에 궁 안에 있는 열두 곳의 조그마한 빙고의 얼음은 이미 모두 동이 난 터였다. 그래서 설빙으로 사용하는 얼음들은 모두 궁 밖에 있는 빙고에서 들어오고 있었다.

궁 밖에서 들여오는 경우에는 허드레꾼이라 하더라도 황궁에 출입하는 만큼 평소라면 아주 엄격한 심사를 거쳐 일꾼을 선발해야 했고, 또 문을 통과할 때마다 그에 버금가는 검문검색을 받아야 했다.

하지만 장례 준비와 수많은 조문객들의 방문을 처리하다 보니 얼음을 나르는 허드레꾼들까지 일일이 세세하게 신경 쓸 계제가 아니었다.

게다가 서른여섯 곳의 빙고에서 하루에도 서너 차례씩 오가는 일꾼들의 수는 무려 천 명에 이르렀다.

그 모든 일꾼을 매번 조사할 수는 없는 터라 결국 커다란 얼음을 가득 실은 수레가 일꾼들의 보증이 되었고, 이날 처음 황궁에 입궁하는 고 씨 일행 역시 다른 빙고의 일꾼들처럼 별다른 조사나 검색 없이 수월하게 황궁에 들어설 수 있었다.

태자비가 죽은 지 넷째 날이었다.

북경부의 수많은 고관대작, 왕족과 귀족 신분의 거물들이 속속들이 입궁하는 가운데, 고 씨 일행이 운반하는 얼음은 북쪽 조그만 쪽문을 통해 황궁으로 옮겨졌다.

"이리로 가져오게."

기다리고 있던 젊은 환관이 땀을 닦으며 다가와 슬쩍

얼음을 한 번 매만진 후 목을 쓰다듬었다. 그는 피부를 파고드는 차가움에 가볍게 몸서리를 치며 중얼거렸다.

"잠깐 동안이라도 이 위에 누워서 뒹굴고 싶군그래."

고 씨가 웃으며 말했다.

"아주 잠깐이라면 괜찮지 않겠습니까?"

젊은 환관이 정색했다.

"허어, 어찌 그럴 수 있겠느냐?"

하지만 그는 여전히 탐욕이 가시지 않은 눈빛으로 얼음덩어리를 쓸어 보고는 아쉬운 듯 입맛을 다시며 길을 가리켰다.

"저 길을 따라 쭉 가면 조그만 석빙굴이 보일 게다. 거기 쌓아 두면 된다."

"알겠습니다."

고 씨 일행은 서둘러 수레를 끌고 밀면서 환관이 가르쳐 준 석빙굴로 향했다. 커다란 얼음덩어리들을 가득 실은 다섯 대의 수레가 행렬을 지어 천천히 이동하기 시작했다.

선두의 고 씨는 수레를 끌면서 주위를 둘러보았다. 조금 전 젊은 환관도 마찬가지였지만 오가는 관리나 내관, 여관 모두 상복(喪服)을 입고 있었다.

"곤란한걸."

고 씨는 중얼거렸다.

"상복이 없으면 쉽게 눈에 띄겠는데?"

"미처 거기까지는 생각하지 못했습니다."

고 씨 일행 중 한 명이 자신의 실수를 인정했다.

그러나 고 씨는 고개를 저었다.

"아니, 상복이야 얼마든지 마련할 수 있으니까. 문제는 어떻게 들키지 않고 동궁까지 가느냐 하는 거겠지."

돌에 걸린 듯 수레바퀴가 튀었다. 수백 근 무게의 얼음 덩어리가 균형을 잃고 미끄러졌다.

하지만 다음 순간, 고 씨 일행 중 한 명이 가벼운 손놀림으로 얼음덩어리를 밀어 제자리로 돌려놓았다.

"상부에서는 저번 실패를 상당히 치욕적으로 생각하고 있다. 굳이 우리를 이곳에 보낸 건 그런 이유에서인 셈이지. 이번에는 반드시 성공하라는 게고, 또 당연히 우리는 언제나처럼 성공할 것이다."

고 씨는 무미건조한 표정으로 연신 주위를 살피면서 중얼거렸다. 열두 명의 동료들은 수레를 밀고 끌면서 가만히 고 씨의 말에 귀를 기울였다.

"우선 석빙굴에 가서 얼음을 쟁여 놓자. 빈 수레를 가지고 돌아갈 때 일을 시작하는 거다. 열셋이나 되는 사람들이 빈 수레 다섯을 끄는 건 확실히 인력 낭비이니까."

고 씨는 계속해서 혼잣말처럼 중얼거렸다.

"다섯은 빈 수레를 끌고 돌아가고, 나머지 인원이 주변을 돌아다니며 몸에 맞는 상복을 구한다. 그다음 바로 동궁 별채로 이동하여 놈들을 해치우고 빠져나가는 거다. 음?"

그렇게 고 씨가 중얼거리고 있을 때였다. 맞은편에서 한 대의 팔두마차가 수십의 병사에게 호위를 받으며 이쪽으로 다가오는 게 보였다.

고 씨는 입을 다물고 한쪽으로 수레를 끌어내어 마차가 쉽게 지나갈 수 있도록 했다.

마차 행렬은 천천히 고 씨 일행을 지나쳐 갔다. 고 씨는 마차 행렬을 유심히 지켜보았다. 이 무더운 날씨에 심지어 깃발까지 든 병사들의 얼굴에서는 땀이 주르르 흘러내렸다.

고 씨는 마차 뒤를 따르고 있는 병사 한 명에게 얼음 조각을 건네며 말했다.

"고생하십니다."

병사는 짜증 가득 찬 표정으로 고 씨를 돌아보다가 얼음 조각을 보고는 얼굴이 환해졌다. 그는 동료들 모르게 얼른 얼음 조각을 입안에 넣고 굴렸다. 병사의 얼굴이 순식간에 풀어졌다.

고 씨가 은밀한 어조로 물었다.

"무슨 행렬입니까? 벌써 조문을 마치고 돌아가시는 겁니까?"

"아, 황태자 전하의 개인적인 손님들이시네."

일순 고 씨의 눈빛이 서늘하게 빛났다. 병사는 손을 내밀며 말을 이었다.

"조금 더 얻을 수 있겠나?"

"아, 물론입죠."

고 씨는 얼음덩어리의 구석 부분에서 조각들을 떼 병사에게 건네며 물었다.

"전하의 손님들이라면 그 유명한 강만리 일행인가 보군요?"

"허어, 강 대협 소문이 자네들에게까지 알려졌는가?"

병사는 고 씨가 손가락만을 이용하여 단단하고 거대한 얼음덩어리에서 떼 낸 얼음 조각을 아무런 의심도 하지 않은 채 받아먹으며 대답했다.

"고맙네. 덕분에 갈증이 싹 가라앉았네."

병사는 고 씨의 어깨를 한 번 두드린 다음 서둘러 마차 행렬을 뒤쫓아 갔다. 고 씨는 고개를 돌려 그 뒷모습을 바라보며 희미하게 웃었다.

"좋아. 아무래도 하늘이 우리 편인가 보군."

그는 동료들, 정확하게 말하자면 자신이 이끄는 수하들을 돌아보며 말을 이었다.

"굳이 패를 나누거나 상복을 구할 필요가 없어졌다. 곧바로 놈들의 뒤를 쫓아가는 거다."

고 씨 일행은 굳이 석빙굴까지 가지 않았다. 그들은 중간 구석진 곳에 얼음덩어리들을 버린 후 빈 수레를 가지고 서둘러 궁을 빠져나갔다.

* * *

"이상하군."

제명혼령(制命魂靈)이라는 별명을 지닌 고각(高覺)은 고개를 갸웃거렸다.

천하 삼대 살수조직 중 하나인 은자림(隱者林)에서 혼령당주(魂靈堂主)라는 직책을 맡고 있는 만큼, 그의 능력은 출중했고 무위는 절정에 이른 고수였다.

또한 그는 지금껏 마흔일곱 번의 살인 명령을 받았으며 단 한 번의 실패 없이 훌륭하게 완수한, 은자림에서 자랑하는 열두 명의 자객 중 한 명이기도 했다.

지금도 그러했다.

은자객(隱者客)의 첫 번째 암살이 실패하자마자 은자림은 곧장 고각과 그의 수하들에게 이번 임무를 맡겼다.

—강만리를 죽여라.

고각은 자신에게 주어진 임무를 훌륭하게 수행했다. 황궁을 떠난 팔두마차의 뒤를 쫓아 그 수행 병사들은 물론 마차에 타고 있던 자들까지 모두 해치웠던 것이다.

하지만 지금 수십 명의 참혹하게 죽은 시신을 내려다보는 고각의 얼굴에는 의혹의 빛이 일렁이고 있었다. 강만리 일행이 생각보다 무력했고 허약했던 것이다. 그것도 왜 은자객이 실패했는지 이해할 수 없을 정도였다.

"겨우 이 정도 상대를 두고 황금 삼만 냥이라는 거액의 의뢰가 들어올 리는 없다. 그것도 두 곳에서 한꺼번에 말이지. 아무래도 뭔가 잘못된 게 분명하다."

고각은 팔짱을 낀 채 발아래를 내려다보며 중얼거렸다. 그의 발밑에는 강만리가 죽은 채 널브러져 있었다. 고각이 익히 들었던 용모파기와 똑같은, 멧돼지 같은 체구의 좁쌀 눈을 가진 중년인이었다.

고각은 기억을 더듬었다.

사천 성도부의 전직 포두. 생김새와 달리 영민하고 매서운 직감과 추리력을 지닌 자. 본인보다는 동행하는 수하들의 무공이 뛰어남.

그게 용모파기와 함께 고각이 받은 지령문(指令文)에 적혀 있던 내용이었다.

'마차 안에는 강만리와 여인들뿐이었다. 조심하라고 한 수하들은 없었다. 아마 따로 움직이는 걸지도.'

고각이 골똘하게 생각하는 동안 그의 수하들은 죽은 시신들과 부서진 마차와 말들을 수습하는 중이었다.

이곳에서 벌어진 그들의 살인 행각을 본 사람은 아무도 없었다. 물론 깨끗하게 치워진 이곳을 살인 현장이라고 알아차릴 사람도 없을 것이다.

그게 은자림이 일을 처리하는 방식이었다.

"어쨌든 임무는 완성했으니까."

고각은 고개를 끄덕였다. 어쨌든 강만리를 해치웠으니 그것으로 된 게다. 그는 수하들을 돌아보며 말했다.

"빨리 흔적을 지우고 돌아가자. 약속했던 대로 북경부 최고의 기녀들을 안겨 주마."

일순 수하들이 크게 환호했다.

2. 교교한 달빛이 흐르는 새벽

"어제 북경부 북위지휘사사 오천육백의 병력과 함께 황궁을 빠져나갔습니다. 물론 황궁에서의 일은 아주 훌륭하게 수행하셨고요."

"이런. 한발 늦었네요."

쉴 새 없이 땀을 훔치는 뚱뚱한 중년 사내, 염근초(廉根礎)의 말에 십삼매는 길게 한숨을 내쉬었다. 저 머나먼 사천 성도에서 최대한 빨리 달려왔지만 안타깝게도 하루 차이로 그들, 강만리 일행을 놓친 것이다.

북경부 황계 지부주인 염근초는 연신 수건으로 뒷덜미와 이마의 땀을 닦았다. 그는 십삼매의 눈치를 살피며 입을 열었다.

"하루 정도면 쉽게 따라잡을 수 있습니다. 게다가 저들은 일반 병사들과 함께 움직이고 있으니 생각보다 그리 멀리 가지 못했을 테니까요."

"아뇨, 따라잡는 건 문제가 아니에요. 그들과 만날 수 있느냐가 중요한 거니까요."

십삼매는 고개를 흔들며 말했다.

"어쨌든 저들은 위지휘사사의 병력과 함께 움직이고 있어요. 결코 쉽게 만날 수가 없다는 거죠. 결국 위지휘사사와 헤어질 때까지 기다려야 한다는 건데……."

"그렇다면 유주 근방까지 가야 만날 수 있겠군요."

"그렇죠. 유주까지……."

십삼매는 다시 한번 한숨을 내쉬었다. 동시에 그녀의 머릿속에 광활하고 황량한 황무지가 그려졌다.

동서남북을 가늠하기 힘들 정도로 사위가 탁 트여 있는 곳. 모래와 먼지바람이 쉬지 않고 불어와 숨이 탁탁 막히는 곳. 생각만 해도 가슴이 답답해지는 그곳까지 가야만 강만리 일행을 만날 수 있는 게다.

"어쩔 수 없죠."

십삼매는 희미한 미소를 지으며 입을 열었다.

"그곳이 어디든 반드시 그들을 만나서 설득해야 하니까요. 그들이 북해로 들어서기 전에요."

"그럼 사람들을 준비할까요?"

염근초가 말했다.

"지금 오대가문 가주들의 회합이 건곤가에서 열리고 있습니다만 아무래도 분위기가 심상치 않습니다. 회합이 끝나지 않았음에도 불구하고 대규모의 병력이 건곤가로 집결하고 있는 걸 보면, 오대가문이 단단히 마음먹은 것 같습니다."

"그러니까요."

십삼매가 눈살을 찌푸리며 고개를 끄덕였다.

"전면전을 벌이기에는 아직 때가 아니거든요. 이쪽의 준비가 완벽하지 않은 상황에서의 전면전은 확실히 불리하니까요. 게다가 금적산마저 적으로 돌렸으니."

"아, 금적산 역시 살수와 조직의 수하들을 동원하여 무림오적을 살해하고자 하고 있습니다. 거기에 황후까지 은자림과 연락을 취한 것 같습니다."

"황후가?"

"네. 보름 전 유배를 당한 삼황자 주건이 자결했습니다. 황후는 주건의 죽음이 강만리 때문이라고 생각하고 어떻게든 그를 죽이고자 하는 중입니다."

"그래요?"

십삼매는 고개를 갸웃거렸다.

"주건의 시신은?"

"유배지에서 출발한 것 같습니다만 아직 입궁했다는 소식은 없습니다. 워낙 먼 곳이기도 하거니와 무엇보다 날씨가 이렇게 무더우니……."

"도착해도 제 모습을 확인하기 힘들 가능성이 높겠죠?"

"그렇습니다."

"즉, 다시 말해서 다른 누군가의 시신을 주건의 시신이라고 속일 수도 있다는 거고요?"

"그, 그럴 수도 있겠습니다. 감히 삼황자의 시신을 속이려 들 배짱이 있다면 말입니다."

염근초는 당황하여 허둥지둥 땀을 닦으며 말했다. 십삼매의 눈빛이 반짝였다.

"그럴 배짱이 있는 자들이 없지는 않겠죠. 어쨌든 황궁의 역모를 기획한 자들도 있으니까요."

"그, 그야……."

"알겠어요. 이틀 말미를 드릴게요. 주변 지부들에게 연락하여 최소한 황백(黃伯) 백 명과 일류급 이상의 무인 오백을 차출해 주세요."

"알겠습니다. 바로 전서구를 돌리겠습니다."

염근초는 십삼매에게 허리를 숙인 후 서둘러 방을 빠져

나갔다. 십삼매가 홀로 앉아 생각에 집중할 때, 문이 살짝 열리더니 소홍이 빼꼼하게 고개를 내밀고 씨익 웃었다.

"무슨 일이니?"

십삼매의 물음에 소홍은 머쓱한 표정을 지으며 물었다.

"담호는 어디에 있대요?"

'이런.'

십삼매의 눈빛이 가늘어졌다.

'이 아이, 진짜로 담호를 좋아하는 모양이네.'

십삼매는 뺨을 살짝 물들인 소홍의 얼굴을 보며 애써 웃는 낯으로 말했다.

"글쎄? 올해 안에는 만나지 않을까?"

"올해요? 이제 겨우 칠월인데요?"

소홍이 당황해하는 모습을 보며 십삼매는 밝게 웃었다.

"그래. 올해 안에 만날 수 있을 거야."

* * *

"뭐라고?"

황후는 흥분하여 저도 모르게 큰 목소리로 물었다.

"놈을 죽인 게 확실하더냐?"

"그렇사옵니다."

부복한 이는 차분한 어조로 대답했다.

"방금 은자림의 세작으로부터 연락을 받았습니다. 강만리를 비롯, 마차 안의 여인들을 모두 살해했다고 합니다."

"좋아!"

황후는 활짝 웃었다. 얼마나 기쁜지 눈물까지 글썽거리고 있었다.

"역시 무림인은 무림인에게 상대하라고 하는 게 가장 좋은 방법이었네."

굳이 제독태감과 동창에게만 맡겨 두지 않은 게 탁월한 선택이었다.

물론 따로 인맥을 동원하여 무림의 최고 살수조직이라는 은자림과 연결, 황금 사만 냥이라는 거액을 내고 의뢰한 건 바로 그녀의 앞에 부복해 있는 환관의 조언 덕분이기도 했다.

환관은 '개를 잡는 건 개장수가 제일 잘하는 법입니다. 무림인을 상대하는 건 역시 무림인이 최고인 거죠. 그러니 살수조직을 동원하는 건 어떻겠습니까? 소인이 아는 살수들이 있습니다. 은자림이라고, 강호 최고의 살수조직입니다.'라며 황후에게 조언했고, 황후는 바로 수락했다. 물론 중간에서 환관이 무려 황금 만 냥이라는 거액을 착복했다는 걸 황후가 알 리는 없었다.

"고생했다."

황후는 환관의 공을 치하했다.

"네게 은자 오백 냥을 내리마."

"성은이 망극하옵니다."

이미 황금 만 냥을 착복한 환관은 너무나도 기쁘다는 목소리로 그렇게 말했다. 황후는 여전히 웃음을 참지 못한 채 중얼거렸다.

"건아야, 네 복수를 했으니 이제 저승에서 편히 쉬어도 된단다."

이상한 일이었다.

한없이 밝고 환하게 웃는 그녀의 눈에서 슬픔과 비애의 눈물이 뚝뚝 흐르고 있었다.

* * *

태자비가 죽은 지 넷째 날.

동궁 구석진 곳에 위치한 별채는 텅 비어 있었다. 한동안 그곳에 머물던 사람들은 어제 북위지휘사사의 행렬과 함께 이곳 황궁을 떠났고, 양옹만이 별채 약당에 홀로 누워 태의원의 의생들에게 치료를 받는 중이었다.

치료가 끝나는 대로 다시 북진무사의 조옥으로 돌아갈

운명이었지만 양옹은 절대 아쉬워하거나 안타까워하지 않았다.

잠시나마 이렇게 지상으로 나와 햇빛을 보고 하늘을 보게 되었다는 것만으로도 그는 충분히 만족했다. 심지어 쪄 죽을 것처럼 무더운 이 초여름의 날씨마저 그는 행복하다고 느꼈다.

그나마 선선한 바람이 부는 새벽이었다.

이날따라 잠에서 일찍 깬 양옹은 열린 창을 통해 밤하늘을 지그시 쳐다보고 있었다. 달빛은 교교(皎皎)했고 사위는 조용한 가운데, 옆방에서 태의원 의생이 코 고는 소리가 희미하게 들려왔다.

양옹은 저도 모르게 눈물을 흘렸다.

이 새벽녘의 고즈넉한 분위기가 얼마나 감사한 풍광인지 너무나 오랫동안 잊고 있었다.

간간이 불어오는 새벽바람의 고마움을, 따스하고 온유한 달빛의 감사함을, 맑고 깨끗한 공기의 소중함을 그는 까마득하게 잊고 살아왔다.

그리고 이제야 비로소 양옹은 그 소소한 것들이 눈물이 날 정도로 고맙고 감사하고 소중하다는 사실을 절감했다.

그때였다.

삐거덕 소리와 함께 조심스레 문이 열렸다.

양옹은 얼른 손을 들어 눈물을 훔쳤다. 새벽 진료를 하기 위해 찾아온 의생에게 차마 눈물을 보일 수가 없었던 까닭이었다.

"울고 있었느냐?"

묵직한 목소리가 들려왔다.

일순 양옹은 언 것처럼 동작을 멈췄다. 그의 얼굴이 새파랗게 질렸다.

담담하지만 감히 범접할 수 없는 위엄과 신위(神威)를 지닌 목소리. 세상에서 오직 단 한 사람, 신의 아들[天子]만 낼 수 있는 목소리.

양옹은 얼른 자리에서 일어나려 했다. 하지만 그 거룩하고 위엄 넘치는 목소리가 그를 만류했다.

"됐다. 일어나지 않아도 된다."

양옹의 눈가에 눈물이 그렁그렁 맺혔다.

강만리에게 부탁은 했지만 설마 가능할까, 하고 이미 포기하고 있던 일이었다. 이미 죄인의 몸이 되어 조옥에 갇힌 지 수년이나 흐른 지금, 다시 황제 폐하를 알현한다는 건 상상조차 할 수 없는 일이었다.

그런데 믿을 수 없게도 이 교교한 달빛이 흐르는 새벽녘, 당금 하늘의 주인이자 땅의 지배자인 황제가 양옹을 만나기 위해 이곳 동궁 구석진 별채까지 직접 행차한 것이다.

양옹은 아무 말도 하지 못한 채 그저 눈물만 흘렸다.

"이야기는 들었다. 짐을 만나는 게 그대의 마지막 소원이라 했다고."

"그, 그렇사옵니다, 폐하."

양옹은 떨리는 목소리로 대답했다.

갓난아기 때부터 황제를 보살폈던 양옹이었다. 갓난아기였던 황제가 두 발로 걷는 모습을 제일 먼저 본 이도 양옹이었다. 장난꾸러기 황제의 골탕에 이마가 깨진 적도 있던 양옹이었다. 황후와의 첫날 밤, 문밖에서 초조하게 기다리고 있던 이도 양옹이었다.

그런 양옹에게, 이제는 세월이 흘러 주름이 생기고 하얀 수염을 길게 늘어뜨린 황제가 부드러운 어조로 말했다.

"세월이 참으로 빠르구나."

양옹은 쉴 새 없이 눈물을 흘렸다. 아마 지금까지 살아오면서 흘린 눈물보다 몇 배는 더 많은 눈물을, 이 새벽에 흘리는 것이리라.

황제의 말은 그게 전부였다.

다시 삐거덕 소리와 함께 문이 닫혔다. 그리고 자박자박 멀어지는 발걸음 소리가 희미하게 들리는가 싶더니, 이내 주변 모든 기척이 깨끗하게 사라졌다. 마치 한여름 밤의 꿈을 꾼 듯한 기분이었다.

그러나 양옹은 가슴이 벅차서, 다른 건 아무것도 생각하지 못한 채 그저 눈물만 흘리며 오로지 황제 폐하의 건강과 안녕을 기원하였다.

교교한 달빛이 흐르는 새벽이었다.

3. 오대(五大) 가주(家主)

천예무는 결코 초조하거나 다급한 표정을 보이지 않았다. 그는 철저하게 느긋했고 완벽하게 방관자의 역할을 수행했다.

급한 자는 금해가의 초일방이었다. 긴급 전석 회의를 요구한 건 어디까지나 그였지, 천예무가 아니었다.

어디 초일방뿐인가. 놈들에게 당한 무적가와 철목가 역시 금해가와 사정이 별반 다르지 않았다.

무적가는 강만리의 귀계(鬼計)로 이미 상당히 큰 손실을 입은 터였다.

그들의 자존심은 땅에 떨어졌고 체면은 송두리째 잃었다. 무적(無敵)이라는 가문의 명칭이 비아냥과 조롱의 대상으로 전락한 상황이었다. 반드시 명예를 회복하고 잃은 자존심과 체면을 되찾아야 했다.

그런 의미에서 초일방의 도움 요청은 그들에게 매우 중

대한 기회가 될 수 있었다.

철목가의 경우는 조금 달랐다. 물론 가주 정극신이 죽기는 했지만 새로 권력을 잡은 대부인은 크게 신경 쓰지 않는 듯한 눈치였다.

하기야 뒷방 할머니 신세였던 그녀가 권좌의 자리를 차지한 건 역시 정극신의 죽음 덕분이었으니까.

그렇다고 해서 그녀가 모든 반대 세력을 억누르고 완벽하게 철목가를 제어한 상황은 아니었다. 어쨌거나 둘째 부인, 셋째 부인에게는 아들들이 있었으며, 결국 가주는 사내가 이어야 한다는 암묵적인 동의가 가문 내 모든 사람의 생각이었으니까.

그렇기 때문에 대부인은 자신만의 성과를 내야 했다. 또한 가문 내 반대 세력의 궐기를 막기 위해서라도 그들의 시선을 다른 곳으로 돌려야 했다.

그리고 외부의 적으로 내부의 분란을 막는 것처럼 효과적인 방법이 없었다. 당연히 그녀는 초일방의 계획에 적극적으로 찬성을 표했다.

반면 천왕가의 사양곤은 꽤 불만 어린 기색이었다.

사실 수년 전 그가 강만리를 해치우기 위해 다른 가주들에게 도움을 요청했을 때, 초일방을 비롯한 모든 가주들이 외면한 적이 있었다.

아직도 사양곤의 가슴 깊숙한 곳에는 그때의 앙금이 고

스란히 남아 있었다.

하지만 어쨌든 지금 오대가문이 힘을 합쳐 해치우려 하는 무림오적 중에는 강만리도 포함되어 있었다.

이럴 때 앙금을 가라앉히고 크게 양보하듯, 호탕하게 선심 쓰듯 고개를 끄덕이는 것도 나쁘지 않았다. 다른 가주들, 특히 초일방에게 빚을 지게 만들 수 있었으니까.

"내가 뭐라 했소? 그때 분명 말했잖소? 강만리라는 자, 결코 평범한 전직 포두가 아니라고 말이오."

사양곤의 말에 초일방이 난처한 미소를 지으며 사과했다.

"미안하오. 그때만 하더라도 사 형의 혜안(慧眼)을 몰라 보았소. 하지만 이렇게 부탁하오. 놈들을 해치우기에는 지금처럼 적기가 또 없을 것이오."

"뭐, 초 형이 그렇게까지 간곡하게 부탁하신다면야…… 좋소, 대의를 위해 본 천왕가 역시 병력을 준비하겠소."

"감사하오."

초일방은 천예무를 돌아보았다. 사대 가주의 뜻이 하나로 모였으니 이제 남은 건 건곤가의 천예무뿐이었다.

천예무는 지그시 눈을 감은 채 아무 말도 하지 않았다. 사실 누구보다도 급한 건 천예무였다. 그러나 그의 태평한 모습에 초일방을 비롯한 사대 가주들이 연신 채근했다.

"이제 천 형도 말씀을 하실 때가 된 것 같은데."

"결정을 하시지요, 천 형. 대의를 위한 일이 아니오?"

"천 형이 합류한다면야 그 무엇보다 든든할 것이오."

"이 보잘것없는 여인네도 나서는 마당에 무엇이 두려워 천하의 천 가주께서 망설이고 계시는지 모르겠습니다."

사대 가주의 말에 천예무는 천천히 눈을 떴다. 그리고 나지막하지만, 절대적인 힘과 권위가 실린 목소리로 말했다.

"영광스럽게도 오대가문의 연합군을 총지휘할 권한을 주신다면, 여러분과 함께 무림오적이라는 자들을 몰살시킬 것이오."

일순 삼대 가주의 얼굴빛이 달라졌다. 하지만 초일방은 당연하다는 듯이 고개를 끄덕이며 말했다.

"안 그래도 연합군을 지휘할 사람으로 천 가주를 추천하려 했소이다. 천 가주의 그 용병술(用兵術)은 과거 정사대전 당시부터 알아줬으니 말이오."

"흐음."

사양곤이 마땅치 않다는 표정을 지었다. 천예무가 그를 돌아보며 물었다.

"사 형의 생각은 다르시오?"

"그게 아니오."

사양곤은 고개를 저었다.

"사실 그 다섯 마리의 쥐새끼를 잡는 거야 나 혼자로도 충분한 일이라 생각하오. 하지만 그 뒤에 있는, 놈들을 키워 내고 지원해 준 자들까지 이참에 모두 섬멸해야 하지 않겠소? 거기에다가 감히 우리 오대가문을 적대시하는 맹주까지 말이오. 그저 무림오적 다섯 놈을 해치우고자 이렇게 모든 병력을 집결한다면 세상 사람들이 우리를 어찌 보겠소?"

"일이 커지겠구려."

"뭐 상관있소? 아예 이참에 강호의 지배권을 재편하는 것도 나쁘지 않을 테니까."

사양곤이 씨익 웃으며 사람들에게 물었다.

"사실 태극천맹이라는 거, 너무 귀찮은 조직이 아니오?"

그의 도발적인 질문에 누구 하나 아니라고 부인하는 자가 없었다.

"애당초 태극천맹이라는 허수아비를 내세운 것도 실수였소. 애당초 그렇게까지 세인(世人)들의 눈치를 살펴야 할 정도로 우리가 허약했던 것도 아니었고, 무엇보다 그 허수아비가 지금은 외려 우리를 겁박하고 위협하고 있지 않소?"

"나는 사 가주의 말씀에 찬성이에요."

철목가 대부인이 차분한 어조로 말했다.

"설령 태극천맹을 남겨 둔다고 할지라도 맹주는 우리가 돌아가면서 하는 게 훨씬 낫고, 또 당연한 일이라고 생각해요."

"흠, 그것도 나쁘지 않은 것 같소."

사양곤이 미처 거기까지는 생각하지 못했다는 투로 말했다.

"대충 오 년에 한 번씩 제비뽑기를 해서 서로 돌아가며 맹주를 하는 것도 괜찮을 것 같소. 아니면 아예 오인 체제로 태극천맹을 운영하는 것도 좋을 것 같고."

그때였다. 이야기가 주제를 벗어난다고 생각했는지 초일방이 손뼉을 치며 입을 열었다.

"좋은 말씀들이시오. 또 앞으로 우리가 좀 더 깊게 생각해야 할 문제들이기도 하고. 하지만 그 문제들은 지금 당장 눈앞의 일부터 처리한 후 논의해도 늦지 않을 것 같소."

초일방은 빠르게 화제를 전환하였다.

"우선 놈들의 행방부터 수소문해야 할 것이오. 내가 마지막으로 접한 보고에 의하자면 보름 전 놈들이 행로가 북경부로 이어지는 것 같다고 했으니, 지금쯤이면 이미 국경을 빠져나갔을지도 모르오."

초일방은 가늘게 눈살을 찌푸리며 말을 이었다.

"요녕성을 벗어난 그들이 어디로 갈지는 아무도 모르오. 장백산으로 갈지, 아니면 여진의 땅으로 숨어들지, 아니면 북해로 도주할지 말이오."

"그렇게 놈들의 도주 예상 범위가 넓다면 그 뒤를 쫓는 일이 절대 만만치 않을 것 같은데."

무적가의 삼숙 제갈천상이 인상을 찡그리며 말을 받자, 초일방이 한숨을 내쉬며 고개를 끄덕였다.

"그렇소. 그래서 조금이라도 일찍 이 회합을 열고자 했던 것이오."

그때였다. 잠자코 듣기만 하던 천예무가 차분한 표정을 지은 채 입을 열었다.

"놈들은 아직 북경부에 있소."

일순 사대 가주들이 일시에 그를 돌아보았다. 초일방이 놀란 눈빛으로 천예무를 바라보며 물었다.

"그걸 어찌 아시오?"

"내 여식이 돌아와 보고한 이후로 계속해서 그자들의 이동 경로를 추적하고 있었소."

천예무는 표정 하나 변하지 않은 채 말했다.

"하나뿐인 여식을 인질로 삼고 돌아다녔는데 그걸 가만히 좌시하고 있을 수는 없는 노릇, 모든 정보원들을 동원하여 그자들의 행적을 수소문한 끝에 그들이 자금성에 머무르고 있다는 걸 알게 되었소."

"자금성?"

"음? 설마……."

사대 가주의 눈빛이 반짝였다.

그들 또한 며칠 전 갑작스레 황실이 발표했던 태자비의 암살 사건에 대해 익히 들어 알고 있었던 것이다.

그리고 강만리라는 작자가 지난날 황궁 연쇄살인 사건을 해결했던 만큼, 놈들이 자금성에 머문 건 이번 황태자비 암살 사건과 관련이 있을 게 분명했다.

"확실한 건 나도 모르오. 구중심처에서 벌어진 일이니만큼 조사에 한계가 있소이다."

"그야 당연한 일이오. 아니, 그나마 북경부에 많은 인맥을 둔 천 형이 아니었다면 애당초 놈들이 그곳에 머물고 있다는 걸 알아내지 못했을 것이오."

초일방은 눈에 띄게 천예무를 치켜세웠다. 사양곤은 그게 못마땅한 듯 코웃음을 쳤다. 제갈천상과 대부인은 묵묵히 두 사람의 대화를 지켜 들었다.

천예무가 계속해서 말했다.

"어쨌든 그들이 영원히 자금성 내에 있을 수는 없을 것이오. 언젠가는 자금성에서 나와야 할 것이고 북경부를 떠날 게 분명하오."

초일방이 다급한 표정을 지으며 말했다.

"그렇다고 놈들이 움직일 때까지 마냥 손 놓고 기다릴

수만은 없지 않겠소? 또 자금성이나 북경부를 포위할 수도 없는 노릇이고."

"걱정하지 마시오."

천예무가 희미하게 웃었다.

"이미 놈들의 행선지가 어디인지 알고 있으니, 우리가 미리 그곳으로 가서 놈들을 기다리면 되는 것이오."

천예무의 말에 초일방을 비롯한 가주들이 사뭇 놀란 표정을 지었다.

초일방이 물었다.

"그들이 가는 곳을 어찌 아시오? 아니, 그것보다 그들의 행선지가 어디란 말이오?"

천예무는 소리 없이 웃으며 말했다.

"유주(幽州). 그곳이 놈들의 최종 목적지인지는 모르겠지만 어쨌든 반드시 유주 땅을 지나갈 것이오."

"유주?"

"유주라……."

사대 가주들의 눈가에 묘한 빛이 일렁거렸다. 초일방은 고개를 갸웃거리며 물었다.

"어찌 그리 확신하시오? 몽골이나 혹은 요녕으로 빠지는 경로도 있을 텐데, 그렇게 유주라고 꼭 집어 말씀하시는 이유가 무엇이오?"

천예무가 대답하려 할 때였다.

대청의 문이 열리고 총관이 들어왔다. 그는 여러 가주에게 인사를 한 후 곧바로 천예무에게 다가와 쪽지를 건넸다. 천예무는 빠르게 쪽지를 읽고는 고개를 끄덕였다.

그는 초일방을 비롯한 가주들을 돌아보며 천천히 입을 열었다.

"어제 놈들이 황궁을 떠났다고 하오."

2장.

보고(寶庫)에서 가지고 온 것들

수천수만의 보물 중에서 오직 하나만을 고른다는 건
어찌 보면 축복인 동시에 저주이기도 했다.

1. 자격(資格)

황궁보고에서 동궁 별채로 돌아온 화평장 식구들은 모두 탈진한 것처럼 의자에 주저앉았다. 어쩌면 육체적으로 힘든 것보다 정신적인 피로도가 사람을 더 지치게 만드는지도 몰랐다.

수천수만의 보물 중에서 오직 하나만을 고른다는 건 어찌 보면 축복인 동시에 저주이기도 했다.

내가 고른 것보다 더 좋은 것들이 뒤에 나타나면 안 되는데 하는 불안과 초조함, 내가 선택하지 않고 지나간 보물 중에 진짜 보물이 숨어 있었는데 하는 후회.

그러한 온갖 감정들이 황궁보고를 나서 별채로 돌아온

지금까지 사람들의 뇌리를 어지럽히고 있었다.

"다들 마음에 든 걸 골랐겠지?"

강만리가 차 한 잔으로 숨을 돌린 다음 입을 열었다.

"이제 후회해도 늦었으니 자신이 선택한 게 최선이자 최고의 보물이라고들 생각하는 게 정신 건강에 좋을 거야."

강만리는 한 번 경험해 봤기에 지금 사람들의 속내가 어떤지 잘 알고 있었다.

예예가 툴툴거렸다.

"우리 아정 먹이려고 영약 쪽을 주의 깊게 돌아봤는데 공청석유가 보이지 않더라고요."

그러자 정소흔이 움찔거리며 입을 열었다.

"공청석유라면 내가 고른 것 같은데?"

"진짜예요, 언니?"

"응. 이거 아냐?"

정소흔은 품에서 조심스레 조그만 약병 하나를 꺼냈다. 한 숟갈 정도 분량의 우윳빛 불투명한 액체가 담겨 있는 약병이었다.

강만리가 눈을 가늘게 뜨고 살펴보다가 고개를 끄덕였다.

"확실히 공청석유입니다, 제수씨."

정소흔이 멋쩍은 표정을 지으며 말했다.

"나도 우리 소군 주려고 찾았거든요."

나찰염요가 웃으며 말을 이었다.

"나도 만년화리(萬年火鯉)의 내단을 골랐는데. 아이들 먹이려고 말이지."

예예가 한숨을 내쉬며 말했다.

"자식부터 생각하는 건 세상 엄마 다 같나 보네요."

"뭐, 그게 당연하지 않겠어?"

나찰염요의 말에 당혜혜가 문득 난처한 표정을 지으며 울먹이는 목소리로 말했다.

"저는 독극물을 골랐는데요. 제가 사용하려고요. 그럼 저는 엄마 자격이 없는 건가요?"

그러자 소화가 기어 들어가는 목소리로 말을 받았다.

"저도 제 속옷을 골랐는데……."

나찰염요가 당황해하며 말했다.

"아니, 그건 아니지. 물론 엄마라고 해서 자기 걸 고르면 안 된다는 법도 없고, 무엇보다 동생들은 아직 애가 배 속에 있잖아?"

예예가 얼른 맞장구쳤다.

"맞아요, 언니들. 원래 임부가 고르는 건 배 속의 아이가 원해서 고르는 거라고 하니까요. 절대 그런 거에 신경 쓰지 마세요."

"다행이네요."

여인들의 위로에 당혜혜는 안도의 한숨을 내쉬며 말했다.

"진짜로 엄마 자격이 없는 게 아닐까 생각했거든요. 사실 요즘 내가 제대로 된 엄마가 될 수 있을까 하는 걱정과 불안이 가시지 않아서 고민이기도 했고요."

"맞아, 맞아. 나도 요즘 그런 걱정이 크거든."

소화가 진심으로 공감한다는 듯 고개를 끄덕이며 말했다.

한편 장예추는 당혜혜의 말에 깜짝 놀란 표정으로 그녀를 돌아보았다. 자신의 아내가 그런 고민을 하고 있었는지 지금까지 전혀 눈치채지 못했던 것이다.

"괜찮아. 당연한 거야."

나찰염요가 자리에서 일어나더니 당혜혜와 소화의 사이에 끼어 앉으며 그녀들의 등을 어루만졌다.

"그건 다들 마찬가지야. 나도 그렇고 예예 동생도 그렇고, 심지어 아빠들도 다 그럴 거야. 그건 첫아기를 가졌을 때 대부분의 부모가 느끼는 혼란인 거야. 과연 나는 제대로 된 부모가 될 수 있을까, 하는."

나찰염요는 부드럽고 자애로운 표정으로 그녀들을 위로하듯 말했다.

장예추는 힐끗 화군악을 돌아보았다.

너도 제대로 된 부모가 될 수 있을까, 하고 고민하고

걱정했느냐는 장예추의 눈빛에 화군악은 어깨를 으쓱거렸다. 그럴 리가 있겠냐는 표정이었다.

그건 장예추도 마찬가지였다. 아빠가 된다는 희망과 기대, 즐거움이 있을지언정 당혜혜와 같은 걱정과 불안, 초조함은 전혀 느끼지 못했다.

분위기가 살짝 가라앉은 듯하자 나찰염요가 미소를 지으며 얼른 화제를 돌렸다.

"그래서, 예예 동생은 뭘 골랐어?"

"아, 천년하수오(千年何首烏)를 찾기는 했거든요."

"그럼 됐네. 천년하수오도 천하의 영약이잖아?"

"하지만 공청석유가 훨씬 확실하고 빠른 효과를 내니까요. 뭐, 그렇다는 거지 실은 저도 만족하고 있어요."

예예는 웃으며 말한 후, 강만리를 돌아보며 물었다.

"당신은요? 당신도 우리 아정 걸 고르셨어요?"

"아, 나? 난 내 걸 골랐는데."

강만리는 머쓱한 표정을 지으며 말하다가 예예의 샐쭉한 눈빛을 보고는 황급히 말을 이었다.

"물론 아정 녀석의 미래까지 생각해서 선택한 거니까."

"그게 뭔데요?"

"뭐긴 뭐야, 무공이지."

강만리는 짐짓 화를 내는 척하며 말했다.

"무림인이 무공을 고르지 않으면 뭘 고르겠나? 안 그렇습니까, 형님?"

이번에는 화살이 담우천에게로 향했다. 담우천은 마시던 찻잔을 내려놓으며 말했다.

"아니."

그 짧은 대답에 강만리의 눈이 동그래졌다. 담우천은 담담한 표정으로 말을 이었다.

"마침 황금인형설삼(黃金人形雪蔘)이 있더군. 아주 운이 좋았네. 장백산(長白山) 깊은 골짜기에서만 발견된다는 놈인데 동자삼(童子蔘)보다 효능이 백 배 이상 높은 물건이지. 그것과 내자의 만년화리의 내단을 함께 먹이면 녀석들 내공도 제법 강해질 거다."

녀석들이라면 당연히 담호와 담창을 가리키는 말이었다.

예예가 강만리를 보며 눈을 흘겼다. 강만리는 당황해하며 서둘러 장예추와 화군악에게 말을 건넸다.

"너희들은? 설마 너희들도 영약을 고른 건 아니겠지?"

"물론이죠."

화군악은 어깨를 으쓱거리며 말했다.

"무공은 지금으로도 충분하니까요. 지금껏 익힌 걸 완벽하게 수련하려면 백 년이 걸려도 모자랄 겁니다. 차라리 내공을 높일 영약이 낫죠. 아, 물론 우리 소군에게도 먹일 생각으로 선택했거든요."

눈치 빠른 화군악답게 그는 하지 않아도 될 말까지 하면서 품에서 보갑(寶匣)을 꺼내 열었다.

심신이 안정되는 듯한 향이 흘러나오는 가운데, 조그만 보갑 안에는 한 알씩 은박지(銀箔紙)로 감싼 열두 알의 환단이 들어 있었다.

"대환단(大還丹)이로구나."

담우천의 말에 화군악은 활짝 웃으며 고개를 끄덕였다.

"이게 구석진 곳에 있더라니까요. 열어 보고 깜짝 놀랐습니다. 천하의 대환단이, 그것도 열두 알씩이나 있다니 말입니다."

소림사의 대환단은 이른바 무림 삼대 환단이라고 불리는 무당파의 태청단, 화산파의 자소단 중에서도 한 차원 더 높은, 그야말로 지고무상(至高無上)의 환단이었다.

대환단은 그 약재를 구하기가 힘들어 이삼 년에 한 알 만들기조차 힘들다고 알려졌으며, 기사회생의 묘용은 물론이거니와 단 한 알의 복용으로 최소한 이십 년 이상의 내공을 얻는다고 했다.

화군악은 정소군을 돌아보며 말했다.

"이 정도면 당신과 나, 그리고 소군까지 충분히 내공을 끌어올릴 수 있잖아?"

"물론이죠."

정소군이 활짝 웃는 가운데 예예의 눈빛이 더욱 차가워졌다. 강만리는 불안한 듯 엉덩이를 들썩거리며 마지막 남은 장예추를 읍소(泣訴)의 눈길로 바라보았다.

장예추는 머뭇거리다가 입을 열었다.

"저 역시 배운 무공을 완벽하게 수련하는 것만으로 벅차, 새로운 무공을 익힐 여유가 없다고 생각했습니다."

"이런."

강만리가 한숨을 내쉬었다.

"당신은 여유가 있었나 보네요."

예예가 웃으며 말했다. 강만리의 등골을 타고 소름이 피어올랐다. 그는 애써 예예의 눈길을 외면한 채 장예추를 향해 물었다.

"허험. 그럼 영약을 고른 건가?"

"아뇨. 담 형님네 둘째 형수처럼 천잠(天蠶)으로 만든 호신의(護身衣)를 선택했습니다."

장예추는 품이 큰 옷을 꺼내 당혜혜에게 건네며 말을 이었다.

"남자를 위해 만든 천잠호신의이지만 지금이라면 당신도 입을 수 있을 거야. 혹시 모르니까 만일의 경우를 대비해서 입고 있어."

당혜혜가 살짝 놀라는 표정을 지으며 물었다.

"절 위해 고르신 건가요?"

"그래. 나야 지금도 충분하거든."

"에휴."

예예의 나지막한 한숨이 강만리의 고막 위로 천둥처럼 떨어졌다. 강만리는 포기한 듯 두 손을 들며 말했다.

"그래, 내가 잘못했다. 내가 죽일 놈이다."

2. 은제(殷帝)의 검(劍)

한바탕 소동 아닌 소동이 끝나고 장예추와 화군악은 바람을 쐬러 객청 밖으로 나왔다.

문 옆 구석진 곳에 나란히 앉아서 소곤소곤 대화를 나누던 담호와 초목아가 깜짝 놀라며 자리에서 일어났다.

"너무 대놓고 사랑놀이는 하지 마라."

화군악이 웃으며 농을 건네자 초목아는 볼을 새빨갛게 물들이며 황급히 도리질했다.

"사랑놀이라니요? 그냥 오늘 보고에서 뭘 가져왔는지 서로 이야기 나누던 중이었는데요."

"어, 그래? 담호는 칼을 선택했네? 어디 줘 봐라."

담호는 머쓱한 표정을 지으며 두 손을 칼을 바쳤다.

"파풍도(破風刀)로군."

칼을 받아 든 화군악은 쓰윽 도신을 훑어보고는 가볍게

허공을 내리그었다.

우웅!

파공성이 마치 귀신이 울부짖는 듯한 소리처럼 들렸다.

"좋은 칼이다."

칼은 그 용도에 따라 크게 두 가지의 외양으로 나뉜다.

빠르게 빼서 찌르고 베는 용도로 사용하는 칼은 검처럼 일직선으로 뻗은 직도(直刀)의 모양새를 가지고 있다.

반면 무게를 실어 내리치거나 크게 베고 타격을 주는 칼은 날이 휘어진 곡도(曲刀)의 모양을 하고 있었다. 강호 무림인이 사용하는 대부분의 칼은 곡도였다.

곡도는 대체로 무겁고 크며 날이 거칠다는 특징이 있었다. 하기야 예리함으로 베는 것 보다는 힘과 무게와 회전력을 이용하여 살을 찢고 근육을 부수고 뼈를 박살 내는 게 곡도의 용도인 만큼 그에 특화된 특징이라 할 수 있었다.

곡도는 그 생김새에 따라 다시 대도(大刀) 박도(朴刀), 대감도(大坎刀), 안령도(雁翎刀), 운두도(雲頭刀), 낭아도(狼牙刀) 파풍도 등등으로 나뉜다.

파풍도는 도극(刀極)이 넓고 곡선으로 이뤄져 있었으며 손잡이가 칼날 방향과 반대로 휘어져 있어서 칼을 휘두르는 데 모든 힘을 고스란히 쏟아부을 수 있었다.

제대로 힘을 실어 휘두르면 바람을 가르는 소리가 천둥처럼 인다고도 했다.

모든 파풍도가 다 그런 건 아니지만 손잡이 끝자락에는 수실과 함께 둥근 고리[環]가 달려 있는데, 파풍도를 사용하는 자들을 보면 그 고리에 손가락을 넣고 칼을 회전시키며 공격하고 방어하는 투로(套路)도 종종 찾아볼 수 있었다.

담호가 고른 파풍도에도 푸른 수실과 함께 그런 고리가 달려 있었다.

화군악은 담호에게 파풍도를 건네려다가 문득 손잡이 부위에 희미한 문양이 새겨져 있는 걸 보고 확인해 보았다. 자세히 들여다보니 문양이 아니라 갑골문(甲骨文)이었다.

"어라? 이거 뭐라고 새겨진 거야?"

갑골문을 읽을 줄 모르는 화군악이 장예추에게 파풍도를 건네며 물었다.

장예추는 잠시 손잡이를 내려다보다가 고개를 끄덕이며 말했다.

"귀멸(鬼滅)이라고 적혀 있네. 이 파풍도의 이름 같군."

"귀멸이라……. 귀멸파풍도라는 건가?"

두 사람의 대화에 담호의 눈빛이 반짝였다.

그 역시 손잡이의 문양을 확인하기는 했지만 그냥 고풍

스러운 문양이라고만 생각했을 뿐, 그게 갑골문인지 전혀 알아차리지 못했다.

"그게, 다른 칼들과 조금 달라요."

담호는 살짝 흥분한 눈빛으로 귀멸파풍도를 가리키며 입을 열었다.

"그 고리에 손가락을 건 다음 내공을 일으켜서 칼을 던져 보세요."

"응?"

장예추는 담호가 말한 대로 고리에 손가락을 걸고 내공을 주입한 다음 칼을 던졌다.

촤라라락!

일순 귀에 거슬리는 소리와 함께 손잡이 끝부분에서 쇠줄이 뻗어 나왔다.

칼은 무려 일 장이나 허공을 날아갔다가 촤라라락! 소리와 함께 되돌아왔다.

"오호! 마치 유성추(流星錘) 같은데?"

지켜보고 있던 화군악이 감탄을 터뜨렸다.

유성추는 쇠사슬에 매달린 철구(鐵球) 모양의 무기를 가리키는데, 만드는 기법에 따라 쇠사슬이 늘어났다가 줄어들며 상대를 공격할 수가 있었다.

"흠."

장예추는 손잡이 끝 부분에서 쇠줄을 가볍게 빼내어 살

펴보았다. 철사(鐵絲)처럼 가늘었지만, 생각보다 단단하고 튼튼해서 어지간한 도검으로는 잘릴 것 같지 않았다.

'역시 황궁무고의 무기인 만큼 결코 평범한 놈은 아니구나.'

장예추는 그런 생각을 하면서 귀멸파풍도를 담호에게 건네주었다.

"이 칼의 효용도는 우리보다 네 아버지가 더 잘 알 거야. 그리고 칼을 던지고 회수하는 방법에 익숙해질 때까지 수련한다면, 네 목숨을 지키는 비장의 한 수가 될 수 있을 거다."

"고맙습니다. 장 숙부, 화 숙부."

"그래. 그런데 너는 뭘 골랐어?"

화군악이 이번에는 초목아에게 흥미를 보였다.

초목아는 머뭇거리다가 품에서 조그만 비수 한 자루를 꺼내 보였다. 여인들이 지니고 다니는 은장도(銀粧刀)처럼 칼집에 아름다운 문양이 새겨져 있는, 극히 평범해 보이는 비수였다.

하지만 화군악은 결코 경시하지 않았다. 외양은 어쨌거나 황궁무고에 있던 물건이었다. 절대 평범할 리가 없었다.

"흠, 한번 봐도 되겠니?"

"네. 여기 있어요."

초목아가 두 손으로 공손하게 건넸다. 화군악이 비수를 받아 들 때 그녀는 변명하듯 서둘러 말했다.

"그 칼집이 아름다워서 고른 건 아니에요."

"상관없지. 어쨌든 네 마음에 든 거니까."

화군악은 천천히 칼집에서 비수를 꺼내 들었다.

일순 눈앞이 환해지는 것 같아서 그는 저도 모르게 눈을 가늘게 떠야 했다. 새하얀 섬광이 비수의 칼날에서 서리서리 뻗어 나온 것이다.

"그 광채가 예사롭지 않아서 고른 거예요."

초목아도 눈을 가늘게 뜬 채 말했다. 장예추도 눈을 가늘게 뜬 채로 감탄했다.

"호오, 대단하군. 이건 마치 소련(宵練) 같은데?"

"소련?"

"소련이요?"

화군악과 초목아가 동시에 장예추를 돌아보았다.

장예추는 비수에서 시선을 떼지 않은 채 말했다.

"열자(列子)에 나오는 이야기야."

장예추는 어린 시절 수많은 책을 읽었고, 그중에는 물론 소련이라는 명검(名劍)의 이야기를 담은 열자도 있었다.

"일찍이 은(殷)의 제왕이 천하를 다스리기 위해서 사용했다고 하는 세 개의 명검 중 하나가 바로 소련이지."

은제(殷帝)가 다루었다는 세 자루의 명검.

함광(含光)은 안으로 빛을 머금어 칼날이 보이지 않는 검이었다. 날을 건드려도 날이 없는 것 같았으며, 베어진 상대도 자신이 베인 사실을 모른 채 목숨을 잃는다고 했다.

승영(承影)은 그림자를 받드는 검이었다. 새벽녘인 박명(薄明)이나 황혼에 북쪽을 향해 비추면 칼날의 희미한 그림자를 볼 수 있다고 했다.

그리고 소련은 한밤중에만 칼날이 햇빛처럼 빛을 발하는데, 그 형태가 어찌 생겼는지 알 수 없는 검이었다. 베면 확실한 반응과 느낌이 있지만 칼날에는 피가 묻지 않는다고 했다.

"호오, 정말 이상한 녀석이라니까."

화군악은 장예추를 바라보며 말했다.

"무슨 그런 쓸데없는 이야기들까지 시시콜콜하게 다 알고 있는 거야?"

장예추는 눈살을 찌푸렸다.

"그걸 두고 박학다식(博學多識)하다고 하는 거다."

"무림인이 박학다식해서 뭐해? 무기만 잘 휘두르고 사람만 잘 죽이면 되지."

"그러니까 네가 더 이상 발전을……."

"아아, 그만하자. 애들 앞에서 창피하게 싸우는 모습을 보여 줄 수 없잖아?"

"아니, 이봐. 말은 네가 먼저 꺼냈잖아?"

장예추가 화를 냈지만 화군악은 신경 쓰지 않고 비수를 칼집에 넣고는 초목아에게 돌려주었다.

"이게 은제의 검인지 아닌지는 모르겠지만 어쨌든 놀랍고 신비한 것만은 분명하다. 조심히, 잘 사용해라."

은제의 검이라니!

초목아는 두근거리는 모습으로 비수를 품에 안으며 말했다.

"소중히 사용할게요."

"아니지. 소중히 사용할 게 아니라 잘 사용해야지."

화군악이 문득 진지한 표정을 지으며 말했다.

"아무리 귀중하고 대단하다 할지라도 검은 결국 검이란다. 사람을 베고 나를 보호하는 데 사용하는 거지, 무슨 보석이나 장신구처럼 가만히 모셔 두는 물건이 아닌 거야."

"네, 알겠어요."

"그러니 그 비수의 사용법이나 특징이나 묘용 같은 걸 천천히 살피고 찾아보라고. 조금 전에도 말했지만 황궁 무고에 있던 것이니 분명히 그렇게 광채만 내는 물건은 아닐 거야."

"조언 감사드립니다."

초목아가 깍듯하게 인사하자 화군악이 헛기침을 하며 말했다.

"그래. 이렇게 살이 되고 뼈가 되는 이야기를 해 주는 게 그 열자인지 뭔지 하는 책의 이야기보다 훨씬 낫잖아?"

"이봐, 군악!"

장예추가 성난 표정을 지을 때 초목아와 담호는 서둘러 그들에게 인사를 한 후 자리를 벗어났다. 객청 안으로 들어서면서 초목아가 담호에게 소곤거렸다.

"정말 사이가 좋으시네."

담호가 웃으며 말했다.

"응. 마치 친형제 같으신 분들이야."

그들의 낮은 목소리를 들은 걸까. 객청 밖에서 장예추가 소리쳤다.

"누가 사이가 좋고 누가 친형제 같다는 거냐?"

초목아와 담호는 이내 자라목이 되었다가 서로를 돌아보고는 키득키득 웃으며 문을 닫았다.

3. 뭔데요, 그게?

"쯧쯧. 아이들에게 소리나 지르고."

화군악의 말에 장예추는 어이가 없다는 듯 그를 노려보

다가 결국 고개를 설레설레 흔들며 중얼거렸다.

"됐다, 됐어. 정말이지 너와 대화를 나누다 보면 나만 바보가 되는 것 같다니까."

"에이, 뭘 또 그런 걸 가지고 삐친 척하고 그래?"

화군악이 장예추의 옆구리를 툭 치자, 장예추는 저도 모르게 피식 웃었다. 화군악도 껄껄 웃었다.

밤이 깊었지만 여전히 무더운 날씨였다. 낮의 뜨거운 햇볕에 한껏 달궈진 지열(地熱)이 밤공기를 후끈 달아오르게 만들고 있었다.

"그나저나 다들 자기 자식들을 생각할 줄은 몰랐네. 강 형님만 불쌍하게 되었어."

잠자코 밤하늘을 올려다보던 장예추가 불쑥 말을 꺼냈다. 화군악이 동의하듯 고개를 끄덕였다.

"그래. 예예 형수에게 꽤 시달릴 거 같더라고."

"그런데 말이지, 부모가 된다는 게 그리 힘들고 어려운 일일까?"

"응? 왜 그건 또?"

"아니, 아까 혜혜가 그랬잖아? 과연 내게 엄마 자격이 있을지 불안하고 초조하다고 말이야."

"글쎄."

"사실 나는 내가 아버지가 된다는 게 두렵거나 무섭지 않거든. 내 아버지처럼 가르치고 대하면 된다고 생각하니까.”

“흠. 나와는 정반대네.”

화군악이 팔짱을 끼며 말했다.

“나는 부모 없이 자랐으니까. 어떻게 키워도 나보다는 잘 크겠지 하는 마음이었거든.”

“아하, 그렇게 생각할 수도 있겠네.”

“그렇지. 부모 없이 마구 자란 나도 이렇게 훌륭하고 반듯하게 성장했으니 나와 소흔이 키우는 자식은 훨씬 더 훌륭하고 뛰어난 인물이 되겠지 하고 생각했거든. 또 그렇게 크는 것 같기도 하고.”

“그럼 전혀 불안하거나 두렵지 않았고?”

“글쎄. 뭐, 어떻게든 되겠지 하고 생각했어. 사실 첫 경험이라는 게 다 그런 거잖아? 동정을 뗄 때도 두근거리는 한편 살짝 불안하고 초조하지만 결국에는 어떻게든 되잖아? 누가 가르쳐 주지 않아도 말이야.”

“흐음.”

“애를 키우는 것도 마찬가지야. 누가 가르쳐 주지는 않았지만 어떻게든 되더라고. 물론 그게 정답인지는, 가장 훌륭한 방법인지는 모르겠지만 나와 내 마누라 딴에는 최선을 다하고 있고…… 내 딸도 우는 날보다는 웃는 날이 더 많으니까.”

화군악은 문득 소군이 까르르 웃는 모습을 떠올리고는

입이 헤벌쭉해졌다.

"흐흐흐, 웃을 때만큼은 정말 귀엽고 예쁘다니까. 선녀가 따로 없다고."

그때였다. 객청의 문이 열리고 두 명의 사내가 밖으로 걸어 나왔다. 설벽린과 정유였다.

"뭣들 해?"

설벽린이 유쾌하게 물었다.

"이 한밤중에 사랑놀이를 하는 것도 아니고."

"형님은 무슨 농담을 그리하십니까?"

화군악이 인상을 찌푸리며 물었다.

"어디 가시려고요?"

"아, 약당에. 아무래도 만해 사부 표정이 좋지 않은 것 같아서."

"으음."

화군악은 코를 찡긋거렸다.

확실히 황궁보고에서 나와 재회한 만해거사와 구자육의 표정은 썩 밝지 않았다. 아무래도 초유동을 회복시킬 의술을 찾지 못한 게 분명했다.

"정 형님은요?"

화군악의 질문에 정유는 어깨를 으쓱거리며 말했다.

"그냥 나와 봤네. 강 형님의 불쌍한 얼굴을 지켜보는 것도 질려서."

"하하. 그러니까 평소 부인에게 잘해야 하는 겁니다. 아, 형님들은 아직 모르시겠네요."

"꼭 한마디 더해서 욕먹지, 너는?"

설벽린의 말에 화군악은 유쾌하게 웃다가 문득 진지한 표정을 지으며 화제를 돌렸다.

"그런데 진짜 초 어르신은 어떻게 하죠? 내일도 문제가 될 것 같은데요."

일순 사람들의 표정이 급격하게 어두워졌다.

그들은 내일 북위지휘사사와 합류하여 황궁을 벗어날 계획이었고, 이미 채석장에 있는 사람들에게까지 통지가 간 상황이었다.

하지만 초유동은 여전히 가사 상태였다. 당연히 그를 병졸로 변장시킬 수도 없었으니, 결국 그만을 위해 따로 마차를 준비해야 했으며 또한 북위지휘사사의 군대와 다르게 이동해야 했다.

"강 형님의 말에 따르자면 아마도 채석장 사람들은 우리와 떨어져 따로 움직일 거다. 채석장에도 그렇게 전갈이 갔고. 그러니 초 노야의 일은 그들에게 맡기면 될 거야."

정유의 말에 화군악은 가볍게 눈살을 찌푸렸다.

"하지만 언제까지 그렇게 다녀야 한답니까? 오랜 여정은 초 노야에게도 좋지 않을 것 같고, 또 우리에게도 부담이 되니까요. 차라리 어느 한적하고 안전한 곳에 모셔 두고 만해 사부와 구 당주를 붙여 두는 게 낫지 않을까 싶거든요. 초 노야의 치료에도 그게 훨씬 나을 거라고 생각합니다."

가만히 듣고 있던 장예추가 조심스레 입을 열었다.

"그럼 너는 초 노야가 정신을 차릴 거라고 생각해?"

"아니."

화군악은 냉정하게 고개를 저었다.

"정신을 차릴 거였으면 벌써 차려도 몇 번을 차렸을 거야. 지금은 단지…… 뭐랄까, 온갖 약을 통해서 그저 부질없이 연명을 하고 있다고나 할까?"

화군악은 초목아가 사라진 객청 쪽을 슬쩍 바라보며 말을 이었다.

"그 아이에게는 못된 일이기는 하겠지만…… 이쯤에서 포기하는 게 낫다고 생각해. 솔직히 말한다면 말이지."

"흐음."

"어쨌든 그건 우리가 결정할 일이 아니니까."

정유가 입을 열었다.

"만해 사부와 구 당주가 포기하지 않는 한 우리가 먼저 결정할 수 없지."

"그러니까요."

화군악이 표정을 바꿔 웃는 낯으로 말했다.

"그래서 난처하다는 거죠."

화군악의 말에 세 사내는 아무런 말도 하지 못했다.

다음 날 아침.

북위지휘사사의 오천여 병력은 황제를 대신한 황태자 주완룡의 배웅 아래 북문을 나섰다.

아내의 장례 기간이었음에도 불구하고 주완룡이 특별히 모습을 드러내자 북위지휘사사의 군사들은 모두 감동하고 감격했다.

물론 대부분의 병졸들은 주완룡이 이렇게 배웅을 나선 이유가 자신들에게 있지 않다는 사실을 알지 못했다.

군복으로 갈아입고 병졸과 장수로 변장한 강만리 일행은 그렇게 주완룡의 배웅을 받으며 황궁을 떠나 북쪽 국경 지방으로 향했다.

북경부에서 만리장성까지는 불과 하루 이틀 정도의 거리밖에 되지 않았다. 빠른 말을 타고 달리면 한나절 만에 주파할 수 있을 정도의 거리였다. 그리고 유주는 만리장성 너머에 있었다.

유주는 황량한 땅이었다.

끝없이 펼쳐진 갈색의 황무지. 유령처럼 그 위를 떠도는 모래바람. 숨을 들이쉬면 입안 가득 텁텁한 느낌을 주는 공기. 잘근잘근 씹히는 모래와 먼지들.

옷자락 사이로 물처럼 스며드는 흙먼지. 한낮에도 흐릿한 하늘과 불투명한 햇살. 말라 죽은 나무 몇 그루, 또 말라 죽어 가는 나무들. 바람에 이리저리 뒹구는 건초 더미.

유주는 사람이 살 만한 땅이 아니었다. 그곳에는 귀신과 유령이 산다고들 했다. 그래서 중원의 끝이자 변방의 시작이라 불리는 유주에서 살아가는 자들은 모두 귀신과 유령들이었다.

북경부를 나선 지 사흘째 되던 날.

북위지휘사사의 군대는 유주 초입이라 할 수 있는 회주(會州) 땅에서 서북쪽으로 방향을 돌렸다. 만리장성을 넘어 변방에 들어선 그들은 그렇게 만리장성을 따라 연경(延慶)까지 이동하며 만리장성의 상태를 확인하고 경비부대의 기강을 살필 것이다.

강만리 일행은 바로 그 회주 땅에서 북위지휘사사의 군대를 벗어났다. 군복을 벗어 던지고 평복과 무복으로 갈아입은 그들은 관도에서 살짝 벗어난 숲길에서 채석장 사람들을 기다렸다.

제법 북쪽 지역이었지만 여전히 한낮의 무더위는 살인적이었다. 숲의 그늘에 가만히 앉아 있어도 숨이 턱턱 막힐 지경이었다.

그렇게 한나절을 기다려 해가 서산으로 기울고 더위가 조금 누그러질 무렵, 이윽고 두 대의 커다란 팔두마차가 수십 필의 말을 탄 무사들의 호위를 받으며 관도에 모습을 드러냈다. 바로 채석장 사람들의 행렬이었다.

나무 그늘에 앉아서 손으로 부채질을 하던 화군악의 눈이 휘둥그레졌다.

"저게 어느 고관대작네 행차야?"

그런 소리가 절로 나올 정도로 화려한 행차였다. 호위무사들이 타고 있는 말은 하나같이 준마였으며, 마차 또한 저 금적산의 거대하고 화려한 팔두마차에 전혀 뒤지지 않는 위용을 자랑하고 있었다.

행렬의 선두에서 말을 몰던 중년 사내, 양위가 관도에서 벗어나 쉬고 있던 강만리 일행을 발견하고는 서둘러 말을 몰아 달려왔다.

"마차에 오르시지요."

강만리 일행은 몸을 일으켜 마차로 향했다.

강만리가 힐끗 마차들을 보고는 의아한 표정을 지으며 양위에게 물었다.

"금적산에게 받은 마차가 아니구려?"

양위가 웃는 낯으로 말했다.

"아닙니다. 뒤쪽의 마차가 금적산의 마차입니다."

"음? 전혀 다른데?"

"혹시 금적산의 수하들이나 일당이 알아볼 수 있을 것 같아서 외관 장식을 모두 바꿨습니다. 일노와 헌원 노대가 아예 새로운 마차로 만들었습니다. 게다가 이것저것 무기들을 마차에 탑재하기도 했고요."

"무기를?"

"가면서 설명드리겠습니다. 아니, 헌원 노대께 직접 설명을 들으시면 되겠네요."

양위의 말에 강만리는 고개를 갸웃거리면서 다시 한번 마차를 살폈다. 그리고 보니 마차 외벽 곳곳에 조그만 구멍이 나 있는 게 눈에 들어왔다.

'흐음, 헌원 노대가 어떻게 개조했을까?'

강만리는 그런 호기심을 억누르며 마차에 올랐다. 양위가 크게 소리쳤다.

"행군을 계속한다!"

* * *

"별것 아니야."

헌원 노대는 불퉁한 어조로 말했다.

"마차마다 열두 개의 발사구(發射口)를 만들었고, 각 구멍마다 서로 다른 암기들을 쟁여 두었네. 또한 마부석과 마차 지붕이 잇닿는 곳에 노(弩)를 숨겨 두어서, 언제든 쇠 화살을 쏠 수 있게끔 했을 뿐이네."

"이야! 그야말로 움직이는 요새네요!"

화군악이 감탄하여 탄성을 질렀다.

"이건 마치 화평장을 그대로 마차에 옮긴 것 같은데요?"

헌원 노대는 무뚝뚝하게 말했다.

"안 그래도 화평장의 방어진을 생각하면서 만들기는 했다네. 뭐, 진법이나 함정 같은 건 어쩔 도리가 없었지만."

성도부의 화평장은 크게 세 가지의 방어망을 갖추고 있었다. 하나는 화평장으로 들어서는 버드나무 골목길 전체에 펼쳐진 진법이었고, 다른 하나는 화평장 내부 곳곳에 설치된 함정과 기관진식이었다.

그리고 남은 하나가 바로 여섯 곳의 망루에 설치된 쇠뇌라고 할 수 있었는데, 지금 이 마차에는 그 쇠뇌와 암기를 발사할 수 있는 장치가 설치되어 있었다.

"이야기를 들어 보니까 우리를 쫓아오는 적들이 많다 하더군. 뭐, 대단한 건 아니겠지만 그래도 비장의 숨은 한 수 정도는 되지 않을까 싶어 만들어 보았네."

"잘하셨습니다. 감사합니다."

강만리는 진심으로 고마워했다.

"별거 아니네."

헌원 노대는 쑥스러운 듯 무뚝뚝한 표정을 지으며 설벽린을 돌아보았다.

"아, 이야기한 건 다 준비되었네."

설벽린이 눈을 동그랗게 뜨며 물었다.

"벌써요?"

"그럼 언제 착용해 볼 건가?"

설벽린은 잔뜩 흥분하여 지금 당장이라도 덤벼들 기세였지만 이내 주위를 둘러보더니 다시 헌원 노대를 향해 한쪽 눈을 찡긋거리며 말했다.

"나중에 우리 둘만 있을 때 하죠."

"그러게나."

"뭔데요, 그게?"

화군악이 궁금한 듯 물었지만, 설벽린은 말없이 어깨를 으쓱거리면서 묘한 미소를 지을 뿐이었다.

3장.

유주(幽州)의 밤

겉모습이 주는 선입견과 특정한 편견을 버려라.
한 부류가 아닌 개인의 특징과 개성을 살피고 이해하라.
외양(外樣)이 아닌 본질(本質)을 파악하라.

유주(幽州)의 밤

1. 좋은 환경

회주 땅에 들어서면서 관도(官道)가 사라졌다.

관도는 말 그대로 나라에서 닦아 만든 길로, 사람들의 이동을 편하게 하고 물자의 수송을 원활하게 만드는 효과가 있었다.

물론 그렇다고 해서 청석(靑石)을 까는 건 아니었다. 단지 큰 돌을 제거하고 웅덩이를 메워서 땅을 평평하게 다진 것에 불과했다.

하지만 평평하게 다진 땅과 그렇지 않은 땅은 상당한 차이가 났다. 크고 작은 돌들에 치인 마차의 수레바퀴는 쉴 새 없이 덜컹거렸고 그때마다 사람들은 엉덩이를 들썩이며 고통스러워해야만 했다.

회주를 지나면서 길은 더욱 거칠고 험해져서, 어디가 길이고 어디가 길이 아닌지 갈피를 잡을 수가 없었다.

이제는 저 멀리 보이는 지평선 끝까지, 지면과 길의 경계는 사라졌고 하늘과 땅의 구분도 가늠되지 않았다. 이게 바로 유령이 사는 곳, 유주였다.

북경부를 떠난 지 엿새에서 이레째로 접어드는 저녁 무렵이었다. 강만리 일행은 행군을 멈춘 다음, 야숙을 준비하기 시작했다. 사람 하나 살 것 같지 않은 드넓은 황야 한복판이었다.

—조심하십쇼.

낮에 우연히 마주쳤던 상단의 우두머리가 그렇게 주의를 당부했다.

—여진(女眞)의 무리가 종종 출몰하고는 합니다. 말을 타고 이동하기 때문에 아주 기동성이 좋죠. 넓은 평원이라고 해서 마음 놓고 있다가 한순간 놈들의 밥이 되는 경우가 왕왕 있습죠."

—고맙소. 조심하리다.

변방에서 우연히 마주친 동족(同族)이 반가워서였을까. 상인은 주절주절 이야기를 늘어놓았고, 강만리 또한 진심으로 고마워했다.

"진짜 여진의 무리가 나타날까요?"

화평장의 여인들이 식사 준비를 하는 걸 도와주던 초목아가 조금은 걱정스러운 표정으로 물었다.

이 시대 일반 백성들에게 여진족이라는 단어가 가져오는 두려움과 공포는 생각보다 엄청났다.

대륙의 한민족을 남쪽 끝까지 몰아내고 금(金)이라는 대제국을 세웠던 그들의 무력, 몽골과 남송을 상대로 끝까지 버티고 싸웠던 그들의 투쟁 본능이 아직도 대륙의 백성들 뇌리 깊숙한 곳에 각인되어 있었기 때문이다.

나찰염요가 웃으며 대답했다.

"글쎄다. 하지만 걱정하지 않아도 된단다. 여진족이 나타나면 그 변발(辮髮)을 모두 송두리째 뽑아서 아예 중으로 만들어 버릴 테니까."

초목아가 피식 웃었다. 나찰염요는 눈을 가늘게 뜨며 말을 이었다.

"그런데 오늘치 마보(馬步)와 삼재보(三才步)는 다 마친 거니?"

초목아의 뺨이 붉어졌다.

마보는 양발을 어깨너비로 벌리고 반쯤 구부린 채 버티

고 서는 훈련이었다. 그야말로 지루하고 따분하고 힘들기 그지없어서 하고 싶은 마음이 전혀 들지 않는 수련 방식이었다.

삼재보는 보법의 기본이라 할 수 있지만, 단순하고 평이해서 쉽게 지루해졌다. 그냥 세 걸음 옮기는 것만 반복하는 수련이, 한참 망아지처럼 뛰어놀 초목아의 성에 찰리가 없었다.

일순 나찰염요는 엄한 표정을 지으며 말했다.

"그럼 어서 가서 연습하렴. 지금의 너는 잠잘 시간도 아껴 가며 수련해야 하거든."

"네, 사부."

초목아가 새초롬한 표정을 지으며 자리에서 일어날 때였다. 나찰염요의 말이 이어졌다.

"저쪽을 보렴."

초목아는 그녀가 가리키는 방향으로 시선을 돌렸다. 어둠이 내려앉고 있는 대평야 한쪽에서, 담호가 홀로 웃통을 벗어 던진 채 땀을 삘삘 흘리며 칼을 휘두르고 있는 모습이 보였다.

"저 나이 또래에서는 아마 재를 이길 만한 아이가 없을 거야. 그런데도 저 아이는 어떻게든 시간을 쪼개서 수련하고 또 수련하고 있잖니?"

조금은 부드러워진 나찰염요의 이야기를 들으며 초목

아는 가볍게 입술을 깨물었다.

"출발이 늦은 네가 저 아이를 따라잡으려면 열 배가 아닌 스무 배, 백 배는 더 노력해야 한단다."

초목아의 시야에 땀으로 번들거리는 담호의 모습이 가득 들어왔다. 근육질의 상체가 주는 아름다움과 강인함이 주는 경이로움은, 벌거벗은 사내의 웃통을 보고 있다는 부끄러움과 어색함을 단숨에 날려 보냈다.

"열심히 할게요, 저도."

초목아는 담호와 반대쪽으로 가서 마보부터 수련하기 시작했다. 두 발을 벌리고 엉거주춤 구부린 채 양손을 앞으로 뻗었다.

이내 종아리가 당기고 허벅지가 부들부들 경련을 일으키기 시작했다. 식은땀이 그녀의 속곳을 적셨다.

초목아는 힐끗 담호를 쳐다보았다.

그는 여전히 칼을 휘두르고 있었다. 허공을 날아 칼을 내리치기도 했고 몸을 회전시키며 칼을 긋기도 했다. 석양의 붉은빛이 칼날에 부딪혀 핏물처럼 사방으로 흩뿌려졌다.

초목아는 다시 입술을 악물고 마보에 집중했다.

"무공의 근간은 하체에서 시작된단다. 대지 깊숙한 곳에 단단히 뿌리를 박고 자란 나무가 제대로 성장하는 것처럼, 하체가 흔들리지 않고 균형이 잡혀 있어야만 비로소 네가 마음먹은 대로 무공을 펼칠 수가 있단다."

나찰염요가 그녀에게 마보를 가르쳐 주면서 했던 말이었다.

"이 자세로 두 시진 정도 서 있어도 중심을 잃거나 균형이 무너지지 않아야 한단다. 그 상태에서 무공을 익히면, 기초가 전혀 다듬어지지 않은 상태에서 시작하는 것보다 몇 배는 더 빠르게 성장할 거야."

나찰염요는 초목아의 마보 자세를 고쳐 주면서 그렇게 말하기도 했다.

"지금 너는 딱 세 가지만 하면 된다. 마보와 삼재보, 그리고 운공조식, 이렇게 말이지. 마보가 안정되고 삼재보를 자유자재로 펼칠 수 있게 되고 운공조식으로 단전이 열리고 내공이 생기게 되면 그때부터 제대로 된 무공을 가르쳐 줄게."

물론 처음에는 초목아도 열심히 수련했다.

하지만 날이 무더워지고 뙤약볕 아래 서 있는 것만으로도 진이 다 빠지게 되면서 그녀는 슬슬 요령을 부리기 시작했고, 요 며칠 동안은 마보와 삼재보의 수련을 전혀 하지 않았다.

그러나 돌이켜 보면 언제나 그녀와 함께 있었던 것 같던 담호는 전혀 그렇지 않았다.

담호는 틈이 날 때마다 수련에 열중했다. 심지어 마보

를 서기도 했고 삼재보도 밟으며 그녀에게 함께 수련하기를 권유했다.

—싫어. 너무 덥잖아. 시원해지면 할래.

그러나 초목아는 그늘에 쪼그리고 앉아서 그렇게 말하며 담호의 수련 모습을 지루한 눈길로 지켜보았다.

그렇게 담호는 수련을 하고 초목아는 하품을 하는 모습은, 자금성 동궁 별채에서 흔히 볼 수 있던 광경이었다.

'달라져야 해.'

초목아는 마보를 펼친 채 그렇게 각오를 다졌다.

'복수한다고 했잖아? 게다가 마침 좋은 사람들이 주변에 가득 있고. 내가 원하기만 하면 무슨 무공이든 가르쳐 줄 테고 내가 노력만 한다면 반드시 날 끌어 줄 사람들이잖아. 그러니 나만 노력하면 되는 거야.'

초목아는 이제부터라도 최선을 다해 수련하겠다고 결심하면서 파들파들 떨리는 허벅지에 힘을 주었다. 이를 악문 그녀의 눈빛이 더없이 강인하게 빛났다.

"쯧쯧."

나찰염요가 가볍게 혀를 찼다.

"아무리 그래도 일각을 버티지 못하고 쓰러지다니, 역

시 안 되는 사람은 안 되는 걸까?"

"너무 그러지 마세요."

함께 식사 준비를 하던 예예가 웃으며 말했다.

"저도 어렸을 적에는 수련이 싫어서 가출까지 했거든요. 뭐, 결국 그 바람에 지금의 남편을 만나게 되기는 했지만 말이에요."

예예는 힐끗 마차 쪽으로 시선을 돌렸다. 강만리를 비롯한 사내들이 모여서 뭔가 심각한 표정을 지은 채 대화를 나누는 중이었다. 예예는 다시 고개를 돌리며 말을 이었다.

"그래도 일각이면 많이 버틴 거죠. 어제만 하더라도 반각도 채 버티지 못하고 도망쳤잖아요?"

나찰염요가 고개를 끄덕였다.

"하기야 엊그제를 생각하면 확실히 마음을 새로 고쳐먹은 것 같기는 해."

"그러니까요. 느릴지는 몰라도 조금씩 성장하고 있잖아요? 그게 평범한 거예요. 담호 같은 천재와 비교하면 안 되죠."

예예는 웃으며 말하다가 문득 담호를 돌아보며 고개를 갸웃거렸다.

"그런데 엊그제부터 담호가 조금 이상한 수련을 하는 것 같네요. 원래 파풍도가 저렇게 사용하는 건가요?"

"아, 저거."

나찰염요가 의미심장한 미소를 지으며 말했다.

"황궁무고에서 가지고 온 칼인데, 일반 파풍도와는 조금 다른 것 같더라고. 그이가 잠시 보더니 저 파풍도에 어울리는 도법을 가르쳐 주었지. 그걸 수련하는 거야."

"그렇군요."

예예는 고개를 끄덕였다.

어찌 보면 무공을 배우고자 하는 이들에게 이보다 더 좋은 환경은 없었다.

원하는 무공은 물론, 자질에 맞는 무공까지 선별해서 가르쳐 줄 사부들이 있었다. 아낌없이 조언을 주고 격려해 주는 선배들이 있었다.

내공이 부족하면 얼마든지 영약을 건네줄 사람들이 있었고, 추궁과혈 등을 통해서 좀 더 빠르게 성장시켜 줄 의생들도 있었다.

그러니 스스로 마음만 먹는다면, 그 결심에 어울리는 수련 과정을 보여 준다면, 아무리 평범한 자질의 소녀라 할지라도 이른 시일 내에 고수가 될 수 있었다.

'힘내렴, 목아야.'

예예는 속으로 그렇게 중얼거리며 다시 식사 준비에 몰두하기 시작했다.

2. 허초(虛招)

중앙에 모닥불이 지펴졌고, 주변 곳곳에 원의 형태를 그리며 횃불을 밝혀 두었다. 적의 기습을 경계하기보다는 들짐승들이 가까이 다가오는 걸 막기 위한 횃불들이었다.

나찰염요들의 손맛 덕분이었을까. 드넓은 평야에서 먹는 저녁 식사치고는 매우 풍성하고 훌륭하며 맛있는 음식들이었다.

식사를 마친 사람들은 아무렇게나 주저앉아서 배를 두드렸다. 고굉과 양위가 이끄는 무사들은 수십 개의 크고 작은 그릇들을 설거지하기 위해서 십여 리 정도 떨어진 물가를 찾아갔다.

식사를 끝낸 담호는 조용히 자리에서 일어나 횃불 밖으로 걸어 나갔다. 이틀 전 그의 부친이 가르쳐 준 도법을 완벽하게 몸에 익혀 두기 위해서였다.

무류백팔폭렬도(無流百八爆裂刀)라고 했다. 일류의 실력에서 절정의 경지에 들어서는 도법이라고 했다. 당경(堂境)과 노경(老境) 사이 어딘가에 있는 무공이라고 했다.

"이 칼은 그 무게와 단단함으로 보건대, 찌르거나 베는 것 대신 부수고 박살 내고 으스러뜨리는 데 효용이 있는 것 같다. 사실 수라참쇄십이결도 나쁘지 않은 것 같지만,

역시 무류백팔폭렬도가 더 어울릴 것 같구나."

부친 담우천은 담호가 선택한 파풍도를 두 손으로 들어 무게를 가늠하고 칼날을 살피고 그 단단함을 확인한 후 그렇게 말했다.

이어 담우천은 가볍게 파풍도를 휘두르기 시작했다. 베고 긋고 내리치고 후려갈기는 동작을 연거푸 하다가 느닷없이 고리에 손가락을 걸고 칼을 내던졌다. 촤라라락! 소리와 함께 파풍도는 허공을 선회하여 되돌아왔다.

"재밌는 칼이구나."

담우천은 고개를 끄덕인 후 잠시 생각에 잠겼다. 담호는 초조함과 기대가 뒤섞인 눈빛으로 가만히 담우천을 쳐다보았다.

이윽고 담우천이 입을 열었다.

"무류백팔폭렬도의 뒷부분에 몇 가지 초식을 더 넣어 보자꾸나. 이렇게 칼을 내던졌다가 회수하는 방식은 상대방의 허를 찌르는 기습이 될 수도 있고, 많은 적을 한꺼번에 쓸어 없애는 광범위한 공격이 될 수도 있으니까."

담우천은 곧 천천히 무류백팔폭렬도의 초식을 시전하기 시작했다.

"백팔 개의 초식을 모두 시전하는 데 모두 다섯 호흡 이상의 시간이 걸린다면 그저 평범한 도법에 불과하다. 세 호흡 안에 펼친다면 일류의 수준이라 할 수 있겠고,

두 호흡이라면 일류의 경지를 벗어났다 볼 수 있겠고, 단 한 호흡으로 이 모든 초식을 한꺼번에 펼칠 수만 있다면 그때는 확실히 노경의 경지에 이르렀다 할 수 있겠다."

담우천은 끊임없이 면면부절 이어지는 백팔 개의 초식을 펼쳐 보이면서 계속해서 이야기를 이어 나갔다.

"잘 보면 알겠지만 이 도법은 대부분 후려치고 패고 내리치고 때리기를 반복할 뿐이다. 중간중간에 긋고 찌르고 휘도는 동작이 섞여 있기는 하지만, 어쨌든 이 도법의 본질은 부수고 박살 내며 파괴하는 거니까. 그 백팔 번의 공격이 단 한 호흡 만에 이뤄진다고 생각해 봐라. 과연 상대는 어떻게 될까?"

담호는 문득 자신이 담우천의 상대가 되어 지금의 초식을 막는 상상을 펼쳤다.

그 감당할 수 없는 파괴력에 밀려 한 걸음 뒤로 물러나고 다시 두 걸음 뒤로 물러났다. 파풍도를 막던 검은 쉬지 않고 퍼붓는 충격에 결국 박살 났다.

담호의 얼굴이 살짝 일그러졌다. 파풍도의 태풍처럼 거칠고 강렬하게 휘몰아치는 공격에 자신의 몸이 갈기갈기 찢겨 나가는 것만 같았다.

"상대에게 피할 여유나 틈을 주지 않아야 한다. 정면으로 부딪쳐 맞서 싸우게끔 만들어야 한다. 이 파풍도는 상대의 검이나 칼보다 무겁고 단단하다. 부딪치고 부딪치다 보면 결국 상대의 무기는 부러지고 박살 날 수밖에 없다. 그러기 위해서는 호흡이 중요하다."

담우천은 쉬지 않고 칼을 휘두르면서도 전혀 흔들리지 않는 호흡으로 말을 이어 나갔다.

"한 호흡이다. 한 호흡에 백팔 번의 칼질을 할 수 있는 체력이다. 백팔 번의 칼질을 하면서도 전혀 중심이 흐트러지지 않고 균형을 잃지 않는 안정된 자세다. 칼질의 파괴력은 단련된 허벅지에서 나온다."

담호는 정신없이 담우천의 칼질에, 그의 이야기에 집중했다. 그는 부친의 칼질 하나하나를 눈에 새겼다. 부친의 이야기는 모두 머릿속에 각인해 두었다.

어느 순간부터인가 담호는 빈손으로 담우천의 칼질을 흉내 내고 있었다.

"상대가 조심하고 대비할 때의 기습은 기습이 아니다. 상대방의 호흡과 호흡 사이, 그 순간의 틈과 방심을 노려 보이지 않는 사각을 비집고 내지르는 기습이 바로 제대로 된 기습이다. 이렇게 말이다."

담우천의 손이 멈췄다. 일순 담호의 등에 무언가 툭 하고 부딪쳤다가 떨어졌다. 담호는 황급히 뒤를 돌아보았다. 쇠줄이 길게 늘어난 파풍도가 땅에 떨어져 있었다.

담호는 일순 멍한 표정을 지으며 침을 꿀꺽 삼켰다.

담우천의 파풍도는 한순간 담호의 시선을 속이고, 소리

도 내지 않은 채 쇠줄을 타고 허공을 휘돌아 담호의 등을 가격한 것이다.

담우천은 가볍게 손가락을 움직여 파풍도의 쇠줄을 거둬들이며 입을 열었다.

"고리를 잡고 파풍도를 날리면 쇠줄이 움직이는 소리가 들린다. 그게 네 고정 관념이자 틈이며 방심인 게다. 지금처럼 내공을 운기하여 쇠줄이 움직이는 소리를 죽일 수도 있기 때문이다."

담우천은 다시 손잡이의 고리에 손가락을 걸고 파풍도를 던졌다.

촤라라락!

요란한 소리와 함께 쇠줄이 일직선으로 뻗어 나갔다.

"가령 이 장면을 상대에게 보여 준다면, 그 이후로는 쇠줄 움직이는 소리부터 경계하게 될 게다. 즉, 상대가 소리에 집중하게 하고 거기에만 신경 쓰게 만드는 거다."

"그렇군요."

담호는 알겠다는 듯이 고개를 끄덕이며 말했다.

"그러니까 기습을 펼치기 위해서 상대가 빈틈을 보일 때까지 기다리는 게 아니라, 결국 내가 상대의 허점을 만들고 방심하게끔 유도해야 한다는 거네요."

담우천이 움찔거렸다. 그는 가만히 제 아들을 내려다보다가 천천히 고개를 끄덕이며 입을 열었다.

"맞다."

담우천은 사선행자의 행수가 되고 나서야 비로소 깨우친 묘리를, 약관이 되려면 아직도 한참 남은 제 아들에게 이야기했다.

"그건 기습뿐만이 아니라 모든 싸움에서도 통하는 이치다. 상대의 공격은 막거나 피하고 내 공격은 성공시키는 게 승리하는 방법이라면, 그렇게 되도록 미리 사전 작업을 해 두는 게 필요하다. 예를 들자면, 이런 거다."

담우천은 파풍도를 회수하며 말했다.

"한번 피해 보거라."

그는 회수한 파풍도를 크게 휘둘렀다.

담호는 반사적으로 허리를 숙이려다가 문득 담우천의 무릎이 자신의 얼굴을 가격하는 느낌에 황급히 우측으로 몸을 날렸다.

하지만 이미 그 자리에는 허공을 한 번 그엇다가 되돌아온 파풍도의 칼날이 선점하고 있었다.

담호는 움찔거리며 제자리에 멈춰야 했다.

"이런 거다."

담우천은 다시 파풍도를 거둬들이며 말했다.

"몸을 숙이는 동작으로 피할 수 없었던 건 내가 미리 그렇게 작업을 해 뒀기 때문이다."

즉, 담우천이 무릎으로 가격하려 했던 건 담호가 좌측

이나 우측으로 피하게끔 만들기 위한 허초였다.

"그리고 평소 네가 왼발보다는 오른발부터 움직인다는 걸 봐 왔기에, 왼쪽이 아닌 오른쪽으로 몸을 피할 거라고 예측할 수가 있었다."

담우천의 파풍도가 미리 그 자리에 대기하고 있었던 건 바로 그 예측 덕분이었다.

"상대의 습관이나 버릇은 싸우는 동안에도 언제든지 알아낼 수 있다. 무기를 휘두르기 전에는 어깨가 들썩인다든지, 내공을 운기하기 전에는 크게 호흡을 가다듬는다든지, 상대의 그런 습관이나 버릇을 알게 된다면 반대로 상대의 행동과 움직임을 내 뜻대로 제어할 수 있게 되는 게다."

"아……."

"사소한 것 하나도 놓치지 마라. 가벼이 지나치고 허투루 보지 마라. 그렇게 알게 된 틈과 허점, 습관과 버릇은 어떻게 이용해야 할지 빠르게 생각하라. 고수가 될수록, 결국에는 시간 싸움이 되는 셈이니까."

"알겠어요, 아버지."

담호는 그렇게 대답하다가 문득 지금 부친의 가르침이 몇 달 전 악양의 한 다관(茶館)에서 얻었던 깨달음과 맥(脈)이 닿아 있다는 걸 느꼈다.

―겉모습이 주는 선입견과 특정한 편견을 버려라.

한 부류가 아닌 개인의 특징과 개성을 살피고 이해하라.
외양(外樣)이 아닌 본질(本質)을 파악하라.

고리를 이용하여 파풍도를 던질 때면 반드시 쇠줄 움직이는 소리가 난다고 생각했던 건 단순한 선입견이었다.

습관과 버릇, 허점과 틈을 노리기 위해서는 상대의 특징과 개성을 살피고 이해해야 했다. 상대의 공격을 피상적(皮相的)으로 받아들이는 게 아니라 그 의도를 파악하는 것, 그건 곧 본질을 파악하는 것과 다르지 않았다.

'그렇구나!'

담호는 그제야 깨달았다.

'이미 내가 모두 알고 있었던 것들이야.'

하지만 제대로 알고 있지 못했던 것들이기도 했다. 그 깨달음을 완벽하게 자신의 것으로 만들었다면, 담우천이 가르쳐 주기 전에 미리 이런 식으로 충분히 응용했을 터였다.

이건 응용력이 부족한 게 아니라 제대로 알고 있지 못했기 때문에 일어난 일이었다.

'알게 되었다고 해서 가만 놔두면 다시 잊게 되는 거야. 두고두고 마음에 새기고 기억하고 떠올리면서 잊지 않도록 하는 게 깨달음을 얻는 것보다 더 중요한 거지.'

담호가 그런 생각을 하는 동안, 담우천은 묘한 눈길로 제 아들을 지켜보았다.

어느새 이렇게 성장한 것일까.

자하를 찾기 위해 하산했을 때만 하더라도 코흘리개 어린아이에 지나지 않았다. 아버지의 손을 놓치는 것만으로도 눈물을 글썽거리던 심약한 아이였다. 무공이라고는 자하가 가르쳐 준 간단한 권각술밖에 모르던 아이였다.

그런데 그 어린아이가 불과 오륙 년 만에 이렇게 당당한 한 사람의 무인으로 성장한 것이다.

담우천은 담호 나이 때의 자신을 떠올려 보았다. 이미 십여 년 동안 무공을 익혔던 당시의 담우천과 지금의 담호를 비교해 보았다.

'어쩌면…….'

담우천은 내심 저도 모르게 중얼거렸다.

'이 녀석이야말로…….'

* * *

"드디어 찾았습니다."

어둠 속에서 은밀한 목소리가 들려왔다.

"놈들은 이곳에서 북쪽으로 십여 리 떨어진 황야 한 곳에서 야숙을 하는 중입니다."

"잘했다."

깊은 어둠 속에서 심장을 파고드는 서늘한 목소리가 흘

러나왔다.

"우리가 처음 발견한 게냐?"

"그렇습니다. 서방(西方)이나 중앙(中央) 모두 다른 지역을 수색 중입니다."

"다른 가문의 척후대(斥候隊)는?"

"아직 이곳 유주에 당도하지도 않았습니다. 하지만 정체를 알 수 없는 무리가 이 근방으로 이동 중입니다. 따로 동료들을 보내어 감시 중입니다."

"최소 인원으로 지켜만 보도록 하라. 모든 전력은 무림오적이라는 자들에게 집중해야 한다."

"존명."

"장예추라는 자에게 동방(東方)의 구망군(句芒君)과 남방(南方)의 축융군(祝融君)을 잃은 이후, 우리 오제오군(五帝五君)은 죽음보다도 더한 치욕 속에서 살아왔다. 이제 그 빚을 갚을 때가 온 것이다."

스산한 바람이 불었다. 어디선가 늑대 우는 소리가 들려왔다. 희미하게 까마귀 우는 소리도 들리는 것 같았다.

깊은 숙고에 빠진 것일까. 침묵의 시간이 유난히 길게 느껴질 때였다.

"서방과 중앙에도 연락하여 힘을 합치기로 한다."

깊은 어둠 속에서 메마른 건초 더미와 같은 목소리가 다시 흘러나왔다.

"공(功)을 다투거나 독차지할 생각은 없다. 호랑이도 토끼를 쫓을 때는 전력을 다하는 법, 본 가뿐만 아니라 다른 가문들의 척후대와 함께 놈들을 공격하기로 한다. 그때까지는 차분하게 이 정도 거리를 두고 뒤를 쫓기로 한다."

"존명."

짧은 대답을 끝으로 더 이상의 대화는 들려오지 않았다. 바람 소리, 늑대의 울음소리만이 깊은 밤하늘 멀리까지 퍼져 나가고 있었다.

황량하고 스산한 유주의 밤은 그렇게 깊어 가고 있었다.

3. 마유실제(馬有失蹄)

"도대체 이 수치를 어찌할 셈이오?"

세상에는 십이은자(十二隱者)라고 알려진, 은자림의 최고 수뇌부 열두 명이 모인 자리에서 큰소리가 터져 나왔다.

은자림의 모든 의결과 집행은 이 열두 명의 은자들로부터 나왔다.

십이은자, 혹은 십이현자(十二賢者)라고도 불리는 그들은 각각 한 표씩의 의결권을 갖는데, 그 열두 명 중 대표되는 림주(林主)만이 두 표를 행사할 수 있었다.

즉, 림주는 회의를 주재하고 두 표의 의결권을 행사할 권리밖에 갖지 못했다.

그들은 한 사람의 독재보다는 열두 사람의 지혜가 낫다고 생각하였고, 그래서 언제나 과반수의 득표로 모든 사안을 결정하고 집행하였다.

십이현자는 자신의 후계자를 지목하여 다음 대(代)를 잇게 하는데, 역시 이 회합에서 다른 동료들의 과반수의 동의를 얻어야만 가능한 일이었다.

황궁의 환관 한 명이 의뢰한 건(件) 역시 마찬가지였다. 청부 대금을 받지 않는 대신 자신들이 원하는 조건을 충족시켜야 비로소 의뢰를 받는 게 은자림의 불문율이었지만, 그 불문율 때문에 외면하기에는 황금 삼만 냥이라는 청부 대금은 너무나도 거액이었다.

결국 치열한 토론 끝에 은자림의 십이현자는 이번 한 번만 청부 대금을 자신들의 수락 조건으로 삼는다는 상당히 모순적인 결정을 내리면서 그 의뢰를 받아들였다.

하지만 첫 번째 보낸 은자객이 실패한 후 두 번째로 보냈던 혼령당주 고각과 그 수하들은 엉뚱한 자들을 뒤쫓아 죽인 후 임무 완수라는 보고를 올렸다.

그 보고를 받은 의뢰인 측에서 따로 조사하지 않았더라면, 그래서 강만리 일행이 무사히 황궁을 벗어나 북쪽으로 이동하는 중이라는 사실을 몰랐더라면, 이번 살수행은 은자림 역사상 최악의 사건으로 남았을 것이다. 아니, 지금까지의 과정만으로도 충분히 최악의 살수행이었다.

"고 당주에 대한 상벌은 뒤로 미룹시다. 어쨌든 급선무는 강만리라는 미꾸라지를 해치우는 일이니 말이오."

"아직도 강만리를 미꾸라지라고 말하는 것부터 잘못되었다고 생각하오. 이미 두 번의 살수행이 실패한 마당이오. 그렇게 계속해서 상대를 과소평가하면 세 번째, 네 번째의 살수행도 실패할 것이오."

"동의하오. 정보에 따르자면 강만리라는 자는 일개 전직 포두가 아니오. 강만리와 그의 동료들은 현재 태극천맹의 오대가문과 맞서 싸우는 것 같소. 심지어 무적가, 철목가의 가주들을 살해한 것 역시 그들의 소행일 거라는 정보도 있었소. 미꾸라지라고 폄하할 자들이 절대 아니오."

"우리가 강만리라는 자에 대해서 너무 안일하게 대처한 건 사실이오. 그저 수완의 뛰어난 전직 포두라는 선입견에 너무 매몰되어 있었소."

"게다가 너무 강만리라는 자 한 명에게만 시선이 집중되어 있었소. 그의 동료들을 간과했던 건 큰 실착이오."

"으음. 이거 황금 삼만 냥으로도 수지타산이 맞지 않겠다는 불길한 예감이 드는구려."

"어쨌든 강만리가 유주로 향한다는 정보가 있었으니, 그걸 토대로 다시 놈의 뒤를 뒤쫓기로 합시다. 두 번 다시 실패하지 않도록, 이번에는 은자삼십육귀(隱者三十六鬼)를 보냈으면 하오. 다들 어떠시오? 다른 의견이 없다면 바로 의결에 부치겠소이다."

이 회합을 주관하는 림주의 제안에, 다른 십일현자는 모두 고개를 끄덕이고는 찬반의 의사 표시를 했다. 림주가 그 표시를 확인한 후 입을 열었다.

"찬성이 여덟, 반대가 셋이오. 그럼 이것으로 은자삼십육귀의 살수행을 집행하겠소. 그 모든 과정은 태백현인(太伯賢人)께서 맡아 주시기 바라오. 이미 범한 실수야 어찌할 수 없겠지만 두 번의 실수는 없도록 해야 하오."

림주의 말이 끝나자 태백현인이라는 자가 자리에서 일어나 말했다.

"다른 현인들을 대표하여 맡게 된 임무, 반드시 성공하여 본 은자림의 명예를 회복하겠소이다."

열한 명의 현자들이 손뼉을 쳤고, 그렇게 은자림의 회합이 끝났다.

* * *

"강호 최고의 살수조직이라 하지 않았더냐?"

황후의 성난 목소리가 서릿발 같았다. 환관 한석현(漢錫賢)은 벌벌 떨면서도 빠르게 입을 놀렸다.

"죄송합니다, 마마. 하지만 마유실제(馬有失蹄), 즉 말도 실족할 때가 있다고……."

"어디서 감히 문자 풀이를 하는 게냐? 내가 그깟 속담도 알아듣지 못할 것 같더냐?"

"죽여 주시옵소서, 마마. 절대 그런 뜻이 아니옵니다. 단지 그들 또한 사람이기에 한 번의 실수 정도는 용납하심이 어떨까 해서……."

"됐다!"

황후는 그를 노려보며 말을 이었다.

"좋아. 네 말대로 한 번의 실수는 용납해 주마. 하지만 다시 실수 운운하는 소리가 들려온다면 그때는 네놈의 목부터 베어 버릴 것이다. 알겠느냐?"

"명심하겠습니다, 마마."

"그럼 썩 물러가라."

환관 한석현은 허둥지둥 황후의 거처를 빠져나왔다. 그는 땀으로 흥건히 젖은 이마와 목덜미를 연신 쓸어내리며 궁을 나섰다.

칠월 초순으로 접어들면서 날씨는 더욱더 무더워졌다. 한낮에는 호흡하기 곤란한 정도의 뜨거운 햇빛이 쏟아져 내렸다.

"빌어먹을 은자림 놈들!"

한석현은 군불을 땐 아랫목처럼 뜨거운 지열이 피어오

르는 보도를 걸으며 투덜거렸다.

"내가 여기저기 알아보지 않았더라면 아직도 그 강만리라는 자를 살해했다고 여겼을 게 아닌가? 그렇게 허투루 일을 처리하면서 황금 삼만 냥이나 받아 처먹다니, 차라리 살막에 의뢰를 하는 게 나았다."

하기야 애당초, 은자림의 십이현자 중 한 명과 친분이 없었다면 은자림에게 의뢰하지 않았을 터였다.

은자림 또한 아무리 황금 삼만 냥이라는 거액의 의뢰라 할지라도 굳이 불문율을 어겨 가면서까지 그의 의뢰를 받아들이지 않았으리라.

"어쨌든 은자삼십육귀까지 동원하겠다고 약조했으니 이번만큼은 확실히 놈을 죽이겠지. 그렇지 않으면 진짜 내 목숨이 위험해지니까……."

한석현이 그렇게 중얼거리며 자신의 거처를 향해 부지런히 발길을 옮길 때였다. 갑자기 나타나 그의 앞을 가로막는 이들이 있었다.

한석현은 고개를 들어 그들을 보고는 활짝 웃으며 말했다.

"아니, 태자시감(太子侍監)들께서 어쩐 일로……."

태자시감은 곧 태자를 보필하고 시중드는 태감들을 가리키는 말이었고, 황후를 모시는 한석현과는 안면이 있는 처지였다.

그들도 웃는 낯으로 한석현을 보며 말했다.

"태자께서 찾으시더이다."

한석현의 눈이 휘둥그레졌다.

"소인을요?"

"그렇소이다. 같이 가시죠."

"아, 아니 왜요?"

"그야 우리도 알 수 없지요. 가서 뵈면 절로 알게 될 터이니 어여 태자궁으로 갑시다."

한석현은 영문도 모른 채 태자시감들에게 둘러싸여 태자궁으로 향했다. 입궁하는 동안 그는 온갖 불안한 생각이 떠올라 조마조마했다.

'혹시 강만리라는 작자 때문인가?'

아무리 생각해 봐도 이렇게 황태자에게 불려 가는 이유는 그것밖에 떠오르지 않았다.

'내 비록 황후 마마의 명을 받고 있다고는 하지만 말을 조심할 필요가 있다. 어쨌든 태자 전하께서 그 강만리라는 자를 유별나게 총애하시니 말이다.'

한석현은 그런 생각을 하면서 태자시감들에 이끌려 황태자의 집무실에 들어섰다. 그는 허리를 굽힌 채 공손하게 입을 열었다.

"황후시감(皇后侍監) 한석현이 전하의 부름을 받고 달려왔습니다."

한석현은 일부러 황후시감이라는 말에 힘을 주었다. 황

태자 주완룡은 책상에 앉아 서류 더미를 살피고 있다가 한석현을 맞이했다.

"어서 오라."

수은의 독이 모두 빠져나간 것인지, 요 며칠간의 장례 과정으로 인해 꽤 수척해진 모습임에도 불구하고 주완룡의 눈빛은 맑고 강인해 보였다.

주완룡은 서류 더미를 내려놓고 미소를 머금은 채 한석현을 보며 물었다.

"왜 불려 왔는지 알고 있겠지?"

한석현은 내심 뜨끔했지만, 겉으로는 전혀 모른 척 대답했다.

"소인이 어찌 전하의 뜻을 헤아릴 수가 있겠습니까? 전하께서 왜 미천한 소인을 부르셨는지 전혀 짐작조차 할 수가 없사옵니다."

"흠. 듣기로는 여기저기 돌아다니면서 내 밀위들의 행방을 수소문했다고 하던데?"

"아, 그건……."

'역시 강만리라는 자 때문이구나.'

한석현은 내심 식은땀을 흘렸다.

주완룡이 저리 말하는 걸 보면 이미 자신의 모든 행동에 대한 보고를 받았다는 것이리라.

그 앞에서 거짓말을 하거나 오리발을 내밀면 상황은 더

욱 악화될 게 분명했다. 차라리 사실대로 이야기를 하는 척하는 게 최선의 방법이리라.

한석현은 빠르게 머리를 굴리면서 입을 열었다.

"그게 그러니까…… 황후 마마의 명을 받들어 강만리라는 분의 행방을 탐문하였사옵니다."

그러자 주완룡이 웃으며 물었다.

"어마마마께서 왜 강만리를 찾지?"

"그건 소인도 잘 모르옵니다. 그저 마마께서 찾으라 하셨기에 찾아봤을 뿐입니다."

"그러니까 궁금하면 어마마마에게 직접 물어봐라?"

"소, 소인이 어찌 전하께 그리 말하고자 하겠습니까? 그저 모르는 걸 모른다고 했을 뿐이오니 통촉하여 주시옵소서."

한석현은 일부러 흐느끼듯 말하며 더욱더 깊게 허리를 숙였다. 할 수만 있다면 눈물까지 흘릴 그였다.

하지만 주완룡은 한 치의 흔들림도 없었다. 그는 차분한 미소를 유지한 채 천천히 입을 열었다.

"이자의 행적에 대해서 보고하라."

태자시감 중 한 명이 앞으로 걸어 나와 허리를 숙인 채 입을 열었다.

"이틀 전 유시(酉時:오후5시-7시) 무렵 은밀하게 북문으로 궁을 빠져나가 태민다관(泰旼茶館)에서 두 명의 무림인을 만나 서호용정차(西湖龍井茶)를 마시며 반 시진 가량 대화를 나눴습니다. 이후 궁으로 돌아왔다가 다시 어제 신시(申時:오후 3시-5시) 무렵 급한 용무가 있다며 출궁하여 역시 태민다관에서 예의 그 두 명의 무림인을 만나 일각 정도 대화를 나누고 헤어졌습니다."

태자시감의 보고를 듣던 한석현의 얼굴이 새파랗게 질렸다. 이미 주완룡은 자신의 일거수일투족을 모두 꿰뚫고 있었던 것이다. 그것도 궁내의 일뿐만 아니라 궁 밖에서 있었던 일들까지.

주완룡은 사시나무처럼 벌벌 떨고 있는 한석현을 내려다보며 조용히, 하지만 위엄과 위압이 넘치는 목소리로 말했다.

"지금이라도 늦지 않았다. 사실대로 말하면 그대가 처한 상황을 참작해 줄 수 있다. 하지만 감히 내 앞에서 거짓말을 할 시, 절대 용납하지 않을 것이야."

한석현의 머릿속이 복잡해졌다.

황후와 황태자, 그 어느 쪽의 권력과 권위가 더 강하고 높을까.

황후의 힘이 막강하다면 그녀가 반드시 한석현의 뒷배가 되어 줄 터, 지금 이 자리에서는 끝까지 버티고 완강하게 부인해야 했다.

그러나 황태자의 권력이 더 강하다면 아무리 황후의 비

호가 있다 한들 소용이 없었다.

황궁이라는 게 그랬다. 어느 줄에 서 있느냐, 누가 권력을 쥐고 있느냐, 당금 판세가 어떻게 형성되어 있느냐에 따라서 일개 환관은 물론 심지어 중신들의 관직과 목숨도 오락가락하는 게 바로 황궁 정치의 현실이었다.

게다가 황태자 주완룡이 과연 제 친모에게 패륜의 죄를 저지를 정도로 이번 사건에 단호하고 엄정한 행사를 할 수 있을까.

짧은 순간, 수많은 생각이 한석현의 뇌리에 떠올랐다가 뒤엉키면서 흩어졌다.

그때 주완룡이 마치 한석현의 머릿속을 들여다보고 쐐기를 박는 것처럼 말을 덧붙였다.

"이번 일만큼은 어마마마라 할지라도 그냥 넘어가지 않을 것이다. 개인의 사사로운 감정으로 대국을 망치는 건 아무리 어마마마라 하더라도 절대 좌시할 수 없으니 말이다."

바로 그 순간, 한석현은 그 자리에 오체복지하면서 크게 눈물을 터뜨렸다. 자신이 살아남을 수 있는 유일한 방법을 선택한 것이다.

"모두 마마의 명령이었습니다. 강만리를 죽이기 위해 살수를 고용하라는 지시를 받아 소인은 어쩔 수 없이……."

한석현을 내려다보는 주완룡의 입가에서 천천히 미소

가 사라지고 표정은 딱딱해졌다. 대충 예상하고는 있었지만 이렇게 직접 이야기를 들으니 더욱 마음이 심란해진 것이다.

'아, 어머님.'

주완룡은 한 손으로 관자놀이를 짚었다. 한석현의 구구절절한 자백이 그의 귓등을 스치고 지나갔다. 주완룡은 천천히 눈을 감았다.

'건을 그리 사랑하셨습니까, 어머님.'

늘그막에 갖게 된 막내, 늦둥이였다. 게다가 일곱 명의 황자들 중에서도 가장 총명하고 뛰어난 자질을 지녔으니, 눈에 넣어도 아프지 않을 정도로 귀엽고 사랑스러울 게 당연했다.

태생적으로 몸이 허약한 것도 황후의 가슴을 아프게 만들었을 것이다. 황후가 더욱 그에게 매달리고 헌신할 수밖에 없는 이유였다.

그렇다고 해도 결국 늦둥이 주건은 역모를 꿈꾸고 실행한 대역죄인이었다. 역시 황후가 직접 낳은 첫 번째 아들인 주완룡이 황제가 되지 못하도록, 지금의 황제를 폐위하고 그 자리를 찬탈하고자 했던 인물이었다.

황후는 그런 주건을 위해 아무 죄도 없는 강만리를 죽이려 한 게다.

사실 천하의 황후가 일개 백성 한두 명 죽이고자 하는

게 무슨 큰일이고 대수이겠는가.

그러나 무엇보다 강만리는 주완룡의 손님이자 심복이었다. 황궁 내 모든 사람이 알고 있는 사실이었다.

즉, 황후가 강만리를 죽이려 든 것은 주완룡의 체면을 무시하고 자존심을 뭉갠 것과 다름없었다.

조금 더 강하게 생각한다면, 차기 황제가 될 황태자에게 반역의 기(旗)를 들었다고 할 수도 있었다.

'아아, 어머님.'

주완룡은 속으로 깊은 한숨을 내쉬었다.

이번 일은 환관 하나 없애는 것으로 끝낼 수 없다는 걸 누구보다도 더 잘 알고 있기에 절로 흘러나오는 안타까움의 한숨이었다.

주완룡이 그런 생각을 하는 동안에도 황후시감 한석현은 눈물, 콧물을 다 쏟아 내며 변명하고 있었다.

모든 건 황후의 지시였으며 자신은 그에 따른 죄밖에 없다며 끝까지 자신을 위한 변호로 일관하는 한석현을 보면서 주완룡은 또 한 번 한숨을 내쉴 수밖에 없었다.

'이런 자가 내 주위에도 있을 터…….'

그래서였다.

더욱 강만리와 그의 형제들, 동료들, 식구들이 그리워지는 순간이었다.

4장.

제대로 사용하는 법

—잠깐만요.
연오매가 돌아서던 장예추를 다급하게 불렀다.
—그 아이, 그 아이 말이에요.
연오매가 힘겹게 입을 열었다.
—그 아이의 아버지가 누구인지 궁금하지 않으세요?

1. 주화입마(走火入魔)

"빌어먹을!"

고광은 눈물까지 찔끔거렸다. 분하고 화나고 심지어 억울하기까지 했다. 기분이 나쁜 건 물론이었거니와 가라앉지 않는 질투심으로 인해 속이 부글부글 끓어올랐다.

"왜 나만 빼냐고!"

고광은 크게 소리치고 싶었지만, 그래도 눈치를 살피며 낮은 목소리로 투덜거렸다.

유주 땅에 들어선 지 이틀이 지났다.

땅은 거칠고 따로 길이 나 있지 않아서 생각보다 이동속도가 나지 않았다. 이날 낮에만 하더라도 돌과 웅덩이로 인해 파손된 마차 바퀴를 다섯 번이나 손봐야 했다.

날씨도 지랄 같았다. 낮에는 가만히 놔두면 생달걀이 완숙될 정도로 무덥더니 밤에는 얇은 천이라도 덮지 않으면 온몸이 으슬으슬 추울 지경이었다. 변방 북쪽 황무지의 날씨라는 게 다 이 모양인 듯했다.

하나부터 열까지 모든 게 마음에 들지 않았다. 물론 그 중에서도 고굉의 마음에 가장 들지 않은 건, 역시 왜 채석장에 있던 사람들은 황궁보고에 들어가지 못했느냐는 부분이었다.

"아니, 다 같은 화평장 식구잖아? 가족이라며? 함께 밥을 먹고 함께 생활하고 서로의 목숨을 책임져 주는 사이라며? 그런데 황궁보고에 들어가는 건 편을 나누다니, 도대체 그게 무슨 식구고 가족인 거지?"

만약 고굉이 지은 죄가 없이 떳떳하다면 강만리를 찾아가 당당하게 그렇게 말했을 것이다.

하지만 안타깝게도 그는 화평장 사람들이 이주하기 전, 몰래 창고의 보물을 털려다가 강만리에게 들킨 적이 있었다. 이후 고굉은 감히 강만리 앞에서 함부로 입을 열지 못하고 그저 슬슬 눈치만 봐야 했다.

이번 북경부 생활만 해도 그랬다. 기왕 북경부까지 왔으니 당연히 황궁 구경을 해 보고 싶은 게 인지상정이고, 고굉 역시 사람이었다. 이럴 때가 아니면 언제 자금성을 구경하고 황제나 황태자를 볼 수 있겠는가.

그러나 강만리는 매몰차고 냉정하게 패를 갈랐다. 정확하게 자신들의 식구만 입궁하고 그 외의 사람들은 모두 채석장으로 몰아넣었다. 고굉도 화군악이나 담우천과 마찬가지로 강만리의 의형제였지만, 역시 의형제라도 다 같은 의형제가 아니었던 게다.

누구는 황궁보고에 들어가 보물을 하나씩 얻어 희희낙락하고 누구는 먼지 구덩이 채석장에서 허투루 시간을 보내야 한다니, 도대체 같은 의형제를 대하는 태도가 어찌 이렇게 다를 수가 있단 말인가.

"빌어먹을 뚱땡이 놈, 나를 졸(卒)로 보고 있다니까."

고굉의 흉악한 인상이 더욱 일그러졌다. 얼굴에 길게 새겨진 상흔이 지렁이처럼 꿈틀거렸다.

강만리에게 있어서 고굉은 의형제가 아니라 양위와 같은 수하에 불과했다. 편할 대로 쓰다가 불편해지면 아무렇게 버리는 장기판의 졸과 같은 신세였다. 적어도 고굉은 그렇게 생각하고 있었다.

"젠장. 성질 같아서는 당장 뒤엎어 버리겠는데. 진짜 성질 많이 죽었다, 고굉."

고굉은 마차 구석진 뒤쪽에 홀로 숨어 앉아서 그렇게 한숨을 내쉬었다. 자신의 처지가 서러워서 눈물이 핑 돌 지경이었다. 이렇게 찬밥 신세가 될 줄 알았더라면 아란과 함께 성도부에 남을 걸 그랬다, 하는 후회가 스며들었다.

'애당초 그 계집, 이런 상황을 예견하고 화평장에 남겠다며 미리 선수를 친 것일지도…….'

그 영악한 머리라면 충분히 가능한 일이었다.

"젠장, 빌어먹을, 개 같은……."

고굉이 그렇게 이를 갈고 있을 때였다.

"으음."

낮은 신음이 마차 안에서 들려왔다. 일순 고굉은 고개를 갸웃거렸다.

"마차에 사람이 있었나?"

고굉은 힐끗 모닥불 쪽으로 시선을 돌렸다. 화평장 식구들은 다들 저녁 식사를 마치고 느긋하게 대화를 나누고 있었다. 역시 그들의 안전을 위해서 마차와 말을 지키고 주변을 경계하는 건 고굉과 같은 졸들의 몫이었다.

"으윽."

낮은 신음이 다시 한번 들려왔다. 고굉은 칼을 빼 들며 자리에서 일어났다.

"만해 사부 덕분에 나도 기맥이 열렸단 말이지. 어지간한 적이라면 내가 직접……."

해치워서 공을 세우고 강만리의 인식을 바꿔 놓겠다는 생각을 하면서 고굉은 살금살금 마차 안으로 들어섰다.

팔두마차의 넓은 실내 공간.

그 안에 설벽린이 홀로 가슴을 부여잡고 뒹구는 중이었다. 두 눈은 금방이라도 터질 듯 튀어나왔고, 얼굴은 핏물이 고인 것처럼 시뻘겋게 변해 있었다.

"벽린?"

설벽린이 마차 바닥을 뒹구는 모습을 본 고굉의 눈이 휘둥그레졌다. 이내 그는 화들짝 놀라며 설벽린에게로 다가가 부축해 안으며 다급하게 소리쳤다.

"무슨 일이야? 왜 그래? 독이야?"

당황하여 외치는 고굉의 눈에 언뜻 바닥에 아무렇게나 뒹구는 약병 하나가 들어왔다. 엄지 손가락만 한 크기의 굵기의 조그만 약병이었다.

"이건?"

고굉은 약병을 주웠다. 아무래도 설벽린이 조금 전에 다 마신 듯 약병 안에는 우윳빛 액체가 손톱 정도 남아 있었다.

그는 코를 대고 약병의 냄새를 맡다가 인상을 찡그렸다. 구린내가 코를 진동했던 것이다.

"으윽."

설벽린의 신음에 고굉은 황급히 정신을 차리고 크게 소리쳤다.

"만해 사부! 벽린이 죽어 갑니다!"

그러고는 설벽린에게 다급하게 물었다.

"도대체 뭘 먹은 거야? 이 약병에 독이 들어 있던 거냐?"

이미 제정신이 아닌 설벽린이 희미하게 대답했다.

"공, 공청…… 석유……."

일순 고굉의 눈이 화등잔만 해졌다.

"공청석유? 이게?"

그의 시선이 절로 그 고약한 냄새를 풍기는 약병으로 향했다. 그의 머릿속이 복잡해졌다.

'공청석유에서 토할 정도로 역한 구린내가 난다고 했던가?'

아니, 먹어 본 사람이 없으니 누가 알겠는가.

하지만 한 가지, 고굉도 확실하게 아는 게 있기는 했다. 공청석유의 빛깔이 투명하고 맑은 게 아니라 마치 사내의 정액처럼 불투명하고 하얀색을 띠고 있다는 것.

고굉은 다시 한번 약병에 손톱만큼 남아 있던 우윳빛 액체를 확인했다.

'이게 공청석유란 말이지?'

더는 생각할 겨를도, 필요도 없었다.

그는 약병에 입을 대고 쭉쭉 빨듯이 남아 있던 우윳빛 액체를 빨아 먹었다. 구린내가 진동했지만 신경 쓸 때가 아니었다. 최대한 많이, 남김없이 쭉쭉 빨아 먹어야 했다.

그렇게 약병의 액체는 고굉의 입을 통해 목구멍을 타고

그의 몸속 깊은 곳으로 스며들었다. 일순 뜨거운 기운이 불길처럼 일면서 그의 내부를 용광로처럼 달구기 시작했다.

'벌써 약효가 퍼지는구나!'

고굉은 옳다구나, 생각하면서 황급히 설벽린을 밀어내고는 가부좌를 틀고 운기조식을 시작했다.

그가 단전의 내공은 운기하려는 순간이었다.

'컥!'

그의 전신으로 퍼져 나갔던 뜨거운 기운이 걷잡을 수 없이 고굉의 전신 기맥으로 퍼져 나갔다.

하지만 고굉의 기맥은 그 뜨거운 열기를 품고 미친 듯이 질주하는 기운을 감당하지 못했다. 진기가 흐를 수 있는 기맥의 통로가 너무 작았던 까닭이었다.

일순 고굉의 온몸이 팽창하는 것 같았다. 제대로 기맥을 통과하지 못한 화염처럼 뜨거운 열기가 사방으로 흩어지면서 그의 전신을 새빨갛게 달구기 시작했다.

동시에 오장육부가 갈기갈기 찢어지는 듯한 극한의 고통이 고굉을 강타했다. 고굉은 운기조식을 하다 말고 그대로 나자빠져 마차 바닥을 뒹굴기 시작했다. 바로 고굉이 설벽린을 처음 보았을 때의 모습이었다.

'주화입마(走火入魔)!'

격통에 얼굴이 추악하게 일그러진 가운데, 고굉의 눈빛이 파들파들 떨렸다. 이제야 설벽린처럼 자신도 주화입마에 걸렸다는 걸 알아차린 것이다.

그는 세차게 비명을 내지르려 했다. 자신의 목소리를 듣고 누군가 달려와 주기를 바라면서 있는 힘껏 비명을 쏟아 내고자 했다.

하지만 그의 입에서 흘러나온 건, 조금 전 설벽린이 흘렸던 그 희미하고 나지막한 신음성뿐이었다.

"으윽."

그걸 마지막으로 고괭은 정신을 잃었다.

"이런!"

고괭이 정신을 잃으려는 순간, 누군가 마차 안으로 뛰어들며 다급하게 소리쳤다. 고괭은 분명 그 소리를 들었다.

"주화입마로구나!"

'만해 사부?'

고괭은 애써 눈을 떠서 확인하려 했지만 그게 마지막이었다. 고괭은 자신의 몸속에서 일어나는 변화를 감당하지 못하고 축 늘어졌다.

* * *

"이런 바보 같으니라고!"

고괭의 외침을 듣고 벼락처럼 마차로 달려온 만해거사

가 벌컥 화를 내며 설벽린과 고굉을 둘러보았다.

그 모습으로 보건대 두 사람 모두 주화입마에 걸린 상태였다. 발밑으로 조그만 약병 하나가 툭 걸렸다. 만해거사는 약병을 주워들지도 않고 그 정체를 알아냈다.

"공청석유로구나."

그는 혀를 쯧쯧 차더니 재빨리 손을 뻗어 두 사람의 마혈과 혼혈을 제압했다.

"원래 과하면 탈이 나는 법이다. 아무리 영약이라 할지라도 몸이 받아들일 준비가 되어 있지 않으면 이렇게 주화입마에 빠지게 되는 게다."

그는 밖을 향해 크게 소리쳤다.

"구 당주! 담 장주! 어서 이리로 와 보시게!"

안 그래도 고굉이 외친 '벽린이 죽어 간다!'는 소리를 듣고 달려오던 사람들이었다. 만해거사가 소리치는 동시에 몇몇 사내들이 빠르게 마차 안으로 뛰어들었다. 강만리와 담우천, 그리고 화군악과 장예추였다.

"무슨 일입니까?"

강만리가 만해거사의 곁으로 다가와 묻는 가운데, 뒤늦게 헉헉거리며 구자육이 마차 안으로 들어섰다.

"주화입마일세."

만해거사는 눈살을 찌푸리며 말했다. 강만리의 눈이 화등잔만 해졌다.

"주화입마요? 아니, 애네들이 왜?"

"공청석유를 복용했나 보네."

만해거사는 발끝으로 약병을 툭 건들였다. 약병에 데구루루 굴렀다.

"공청석유라니?"

강만리는 의아한 표정을 지으며 화군악들을 돌아보았다. 공청석유는 확실히 화군악의 아내 정소흔이 가지고 나왔다고 하지 않았던가.

'설마…….'

이 못난 자식들이 식구의 물건을 훔친 건 아니겠지?

불안한 표정이 강만리의 얼굴 위로 떠올랐다.

"설마요."

화군악은 그 표정의 의미를 이해한 듯 고개를 저으며 말했다.

"공청석유가 한 병만 있으라는 법도 없잖습니까? 심지어 천하의 황궁보고에 말입니다."

"하기야……."

황궁보고라면 공청석유가 두어 병 정도 있어도 놀랄 일이 아니었다. 그저 워낙 넓은 공간에 방대한 물건들이 아무렇게나 진열되어 있었기에 인연이 없는 자는 볼 수도 찾을 수도 없을 뿐이었으리라.

"그게 중요한 게 아닙니다."

구자육이 사람들을 헤치고 앞으로 나오며 다급하게 말했다.

"어떻게든 두 사람을 살려야 하지 않겠습니까?"

일순 사람들의 표정이 굳어졌다.

그랬다. 지금 설벽린과 고핑은 주화입마에 빠진 상태였다. 결국에는 미치거나 바보가 되거나 죽거나, 셋 중의 하나가 될 수밖에 없다는 주화입마에.

2. 과거의 기억

주화입마는 흔히 세 가지 경우로 인해 발생한다고 한다.

하나는 운기조식을 하는 와중에 외부에서 충격을 받을 때.

다른 하나는 마음에 큰 충격을 입어 심마(心魔)에 빠질 때.

마지막 하나는 신체가 감당할 수 없을 정도로 과한 영약을 복용하여 그 영약의 기운을 제대로 통제하고 제어하지 못할 때.

그럴 때 내공이 역류하거나 폭주하게 되는 현상을 바로 주화입마라고 했다.

그리고 바로 그 세 번째의 경우가 설벽린과 고핑이 주화입마에 빠지게 된 상황이었다.

평소 단전에 잠재되어 있던 내공은 운기조식을 통해 기맥을 타고 전신을 휘돌게 된다.

기맥이라는 건 곧 기가 흐르는 통로와 같아서, 언제나 자신의 내공이 유유하고 빠르고 안전하게 흐를 정도의 크기를 유지했다.

내공이 점차 증진하면서 기맥은 그에 알맞게 굵고 커지는데, 갑작스레 내공이 크게 증진하게 되는 경우나 혹은 영약의 기운을 과다하게 복용하였을 경우 급격하게 늘어난 내공의 진기나 영약의 기운이 기맥을 통과하지 못하게 되는 불상사가 일어날 수 있었다.

평소보다 서너 배 혹은 열 배 이상의 엄청난 양의 진기나 기운이 기맥을 따라 운기되지 못하면서, 그 진기나 기운은 기맥을 벗어나 혈맥과 혈도를 타고 몸 전체로 이동하게 된다.

혈맥은 폭발할 것 같이 팽창하고, 혈도나 오장육부로 스며든 진기는 제 갈 곳을 잃고 방황하며 몸 곳곳을 들쑤신다. 마치 돼지 오줌보에 심하게 바람을 넣어 팽창하는 것처럼, 몸이 부풀어 오르고 피가 몰려 새빨갛게 변하며 격한 고통으로 정신을 잃게 된다.

최악의 경우 미처 손쓸 시간도 없이 그대로 즉사하기도 하는데, 설벽린과 고굉의 경우에는 다행히 만해거사와 구자육이 있었다.

만해거사와 구자육은 설벽린과 고굉의 마혈과 혼혈을 짚어서 최대한 주화입마의 발동을 늦춘 다음, 백팔금침대법(百八金針大法)과 생사연환경락침술(生死連環經絡鍼術)을 시술하였다.

그 광경을 물끄러미 지켜보던 장예추는 문득 자신이 과거 주화입마에 걸렸을 때의 상황을 떠올렸다.

'그때 나는 어떻게 벗어났었을까?'

당시 그는 백팔연단관의 수련생 신분이었는데, 동료 수련생들이 자신을 구하려다가 흑사자(黑獅子)에 목숨을 잃게 되자 결국 주화입마에 빠져 광인이 되었다.

사실 당시만 하더라도 장예추는 아직 어리고 주화입마에 대해 자세히 알지 못했다. 그래서 애당초 자신이 주화입마에 빠졌다는 사실도 미처 인지하지 못했다.

하지만 세월이 흘러 무위가 강해지고 고수가 되면서 그는 그때 하마터면 저도 모르는 사이에 목숨을 잃을 뻔했다는 걸 알게 되었다. 그리고 누군가의 도움으로 그 위기를 벗어날 수 있었다고 짐작했다.

단지 그뿐이었다. 장예추는 그 문제에 대해서 굳이 더 깊이 생각하지도 고민하지도 않았다. 이미 지나간 일에 집착할 정도로 한가하지 않은 삶이었으니까.

하지만 지금은 조금 달라졌다.

역시 한가하지 않은 삶을 산다는 건 매한가지였지만 이

렇게 직접 자신의 눈앞에서 만해거사와 구자육의 도움을 받아 설벽린과 고굉이 천천히 주화입마에서 빠져나오는 과정을 지켜보는 동안, 당시 상황이 새삼스레 그의 뇌리에 떠올랐다.

'주변의 도움이라면…….'

장예추는 기억을 더듬다가 문득 눈살을 찌푸렸다. 당시 서안 일대에서 그를 도와줄 사람이라고는 오로지 서안 황계 사람들밖에 없었다.

연오매(燕五妹)를 비롯한 연씨 자매들.

'그러고 보니 왜 연오매가 내게 연육매(燕六妹)의 아들 이야기를 꺼냈을까?'

황계의 대회총(大會總)이 사천 성도부에서 열렸을 때, 서안의 황계 지부주인 연오매가 대회총에 참석했다가 화평장에 들른 적이 있었다.

당시 연오매는 불쑥 연육매가 강호에서 은퇴했으며 홀로 아들을 키우고 있다고 장예추에게 말했다. 도대체 연육매에게 아들이 있다는 이야기를 왜 장예추에게 했을까.

장예추의 눈빛이 가늘어졌다.

—잠깐만요.

연오매가 돌아서던 장예추를 다급하게 불렀다.

—그 아이, 그 아이 말이에요.

연오매가 힘겹게 입을 열었다.

―그 아이의 아버지가 누구인지 궁금하지 않으세요?

'왜 그런 이야기를 했지?'

장예추의 기억으로는 그때 '전혀 궁금하지 않다'고 대답했던 것 같았다. 어쨌거나 연육매는 그의 기억에 있어서 불쾌하고 짜증이 나며 언짢은 상대에 불과했으니까.

'설마…….'

내심 그렇게 중얼거리는 장예추의 가슴이 두근거리기 시작했다.

예전과 달리 그는 주화입마에서 빠져나오게 하는 방법 중에 남녀가 몸을 섞는 방법이 있다는 걸 알고 있었다.

밀희흡정체술(密嬉吸精體術).

만약 연육매가 그 체술을 사용해서 주화입마에 빠져 있던 장예추를 구했다면…….

그 결과 그녀가 임신하고 사내아이를 낳아 홀로 키우고 있는 거라면…….

장예추는 저도 모르게 입술을 깨물었다.

어쩌면 굳이 열어서는 안 되는 상자를 연 것 같은 기분이 들었다. 희미한 불쾌감과 불안함이 묘한 설렘과 기대감과 뒤섞이고 있었다.

그때였다.

"다 됐네."

만해거사의 말에 장예추는 퍼뜩 정신을 차리고 상황을 살폈다. 얼마나 집중하고 노력했는지, 만해거사와 구자육의 온몸이 흥건하게 젖어 있는 가운데 만해거사는 소매로 얼굴의 땀을 닦으며 자리에서 일어났다.

"두 사람 모두 한 시진 정도 있으면 깨어날 걸세."

"무사한 거죠?"

강만리의 질문에 만해거사는 고개를 끄덕이며 대답했다.

"무사하지. 하지만 공청석유의 효능을 제대로 얻었는지, 아니면 전혀 얻지 못했는지는 일어나 봐야 알 걸세. 녀석들의 몸속에서 일어난 변화까지 지금 내가 알 수는 없는 노릇이니까."

만해거사는 땀에 전 제 옷의 냄새를 킁킁 맡아 보더니 눈살을 찌푸리며 투덜거렸다.

"안 그래도 바로 오늘 아침 갈아입은 옷인데……. 어디 가까운 곳에 물가라도 있으면 좋겠군."

"아, 양 당주에게 물어보면 알 겁니다. 그의 수하들이 저녁 식사 전에 물을 길어 왔으니까요."

"흠, 그럼 가서 씻고 와야겠군. 옷도 빨고 말이지. 구 당주, 자네는 안 갈 겐가?"

"아, 저는 조금 더 이 두 분의 상태를 지켜보겠습니다."

"그래? 그럼 나 먼저 다녀오겠네."

만해거사가 마차 밖으로 나가자, 사람들이 우르르 그 뒤를 따라나서며 인사했다.

"수고하셨습니다."

"고생 많으셨습니다."

"뭐, 별거 아냐."

만해거사는 그렇게 말한 후 양위를 찾아 휘적거리며 걸어갔다.

강만리는 잠시 그 뒷모습을 지켜보다가 문득 고개를 갸웃거리며 말했다.

"벽린은 그렇다 치고, 고굉 그 녀석은 어떻게 공청석유를 복용한 거지?"

화군악이 당연하다는 듯 말했다.

"그야 벽린 형의 신음을 듣고 마차 안으로 뛰어들었다가 남은 걸 보고 쪽쪽 빨아 먹었겠죠."

"흠, 고굉답군. 그 와중에 그걸 먹을 생각을 다 하다니 말이지."

"사실 고 형님도 안 되셨잖습니까? 형님과 의형제 사이인 데다가 나름대로 화평장에 공헌한다고 자처할 텐데, 그럼에도 불구하고 늘 소외당하는 기분일 테니까요. 이번 황궁보고도 그렇고요."

"누가 누구와 의형제라는 거야? 그 녀석 혼자서 그렇게 주장하는 것뿐이거든."

강만리는 짜증스레 말한 후 귀찮다는 듯이 엉덩이를 긁적거리며 말을 이었다.

"뭐, 하기야 나름대로 하나 정도 챙겨 주는 것도 나쁘지는 않겠지."

"뭔데요? 형님이 가지고 나왔다는 무공 비서 말씀인가요?"

"그건 그 녀석이랑 전혀 어울리지 않아."

그렇게 단번에 자른 강만리는 잠시 생각하다가 가볍게 한숨을 쉬며 말했다.

"어쩔 도리 없지. 내자에게 부탁해서 천년하수오 껍질이라도 달라고 해야지."

"엎드려 비시게요?"

화군악이 놀리듯 말하자 강만리가 눈을 부라렸다.

그때 담우천이 입을 열었다.

"황금인형설삼 한 뿌리를 주면 되지 않을까?"

일순 사람들의 눈이 휘둥그레졌다.

"황금인형설삼 한 뿌리요?"

"그래. 그 정도면 나쁘지 않을 걸세. 고 방주의 현 내공을 생각하면 거의 최고의 영약이라 할 수 있겠지."

강만리가 고개를 끄덕였다.

"그 정도면 좋아 죽으려 할 겁니다."

"그럼 그렇게 하지."

"하지만 아무리 한 뿌리라 하더라도 그런 녀석에게 주기에는 너무 아깝지 않겠습니까?"

"그런 녀석에게 주기 위해 제수씨에게 엎드려 빌려고 했던 사람은 누군데?"

"아니, 형님까지 왜 그러시는데요? 누가 누구 앞에서 엎드려 빈다는 겁니까?"

강만리는 펄쩍 뛰며 항변했지만 이미 사람들은 그에게 등을 돌리고 모닥불 쪽으로 발길을 향하고 있었다. 강만리는 억울하다는 듯이 그들을 쫓아가며 말했다.

"제 말을 조금 들어 보시라니까요? 그래도 제가 체면이 있지, 어디 마누라 앞에서……."

3. 공공아(空空兒)

"아아, 잘 잤네."

설벽린은 아주 개운한 느낌으로 잠에서 깼다. 몸이 날아갈 것만 같았고 온몸에는 활력이 넘쳐흘렀다.

"잘 자기는."

그 모습을 지켜보던 만해거사가 눈을 부라리며 한 소리 했다. 설벽린은 깜짝 놀라 만해거사를 돌아보며 물었다.

"어라, 사부가 왜 여기 계십니까? 음? 그런데 내가 언제 잠들었…… 아!"

설벽린은 그제야 비로소 자신의 상황을 깨달은 듯 화들짝 놀라며 제 몸을 살폈다.

"아니, 분명 주화입마에 걸렸었는데 어떻게 이렇게 말짱하지? 사부께서 살려 주신 겁니까?"

만해거사는 피우지 않는 장죽으로 등을 긁으며 말했다.

"나중에 고 방주에게 고맙다고 해라. 그 친구 아니었으면 마차 바닥에서 홀로 뒹굴다가 목숨을 잃었을 테니까."

"그, 그럼……."

"그래. 다 죽어 가던 네 신음을 듣고 고 방주가 소리쳐 불렀거든. 벽린이 죽어 가고 있다고 말이지."

"아, 그랬었군요. 그런데 고 형님은요?"

"어, 조금 전 깨어나서 밖으로 나갔지."

"아, 네. 네? 조금 전 깨어나다니요?"

"네 녀석이 마시고 조금 남겼던 공청석유를 먹은 모양이더라. 고 방주도 주화입마에 걸려 하마터면 죽을 뻔했지."

"네? 그건 또 무슨 일이랍니까?"

"그러니까 말이지."

만해거사는 끄응 하며 자리에서 일어났다.

"어쨌거나 운기조식을 해서 몸 안의 진기를 제대로 다스려 두거라. 공청석유의 효능이 제대로 스며들었는지, 그렇지 않고 주화입마의 상태에서 체외로 빠져나갔는지 확인할 겸 말이다."

설벽린이 당황했다.

"그럴 수도 있습니까? 기껏 영약을 복용했는데 전혀 효과를 보지 못할 수 있다고요?"

"물론이다."

자리에서 일어났던 만해거사는 다시 끄응 하며 마차 좌석에 앉으며 입을 열었다.

"영약이나 신단(神丹)이라고 해서 무조건 몸에 좋은 게 아니다. 네가 주화입마에 걸렸던 것처럼, 몸이 받아들일 준비가 되어 있지 않은 상태에서 복용하면 외려 독이 될 수도 있는 게다. 그렇기 때문에 영약이나 신단을 제대로 사용하기 위해서는 만반의 준비가 필요한 법이다."

설벽린은 고개를 갸웃거리며 반박했다.

"하지만 강 형님은 공청석유를 복용했을 때 전혀 그렇지 않았다고 하던데요."

"강 장주가 처음 복용했던 게 태양빙옥수(太陽氷玉水)였다고 했던가?"

"네. 확실하지는 않지만 아마 태양빙옥수일 가능성이 매우 큰 영약이라고 했습니다."

“어쨌든 그 영약을 복용할 때 십삼매를 비롯한 이들이 강 장주의 곁에서 만반의 준비를 한 상태로 지켜보고 있었지?”

“아, 그건…….”

“혹시라도 몸에 받지 않거나 탈이 나는 경우를 대비해서 말이야. 그게 영약을 제대로 사용하는 첫 번째 방법인 게다. 너는 그렇지 못했고.”

만해거사는 고개를 앞으로 쑥 내밀며 말했다.

“도둑처럼 혼자 몰래 먹지 말고 나라도 불러서 지켜보게 했어야지!”

“죄송합니다.”

설벽린은 고개를 푹 숙였다.

“미처 거기까지는 전혀 생각하지 못했습니다.”

“흐음.”

만해거사는 다시 팔짱을 끼며 말을 이었다.

“그리고 어쨌든 강 장주가 공청석유를 복용했을 때는 이미 그의 몸이 공청석유의 효능을 받아들일 준비가 되어 있었던 게다. 그 태양빙옥수의 효능으로 단전의 그릇이 커지고 기맥이 넓어지면서 훨씬 더 강하고 진한 진기가 막힘없이 흐를 수 있게 되었으니까.”

“아아.”

“하지만 너는 단전의 그릇이 작아서 공청석유의 효능

이 넘쳐흘렀던 게고, 기맥도 형편없이 좁아서 공청석유의 그 뜨겁고 강렬한 진기를 감당하지 못하고 하마터면 터질 뻔했던 게지."

"그랬군요. 그래서 제가 주화입마 상태가 되었던 거네요."

설벽린은 새삼스러운 눈빛으로 만해거사를 쳐다보며 씨익 웃었다.

"헤헤, 그래도 역시 사부가 최고입니다. 사부가 아니었더라면 이 무지몽매한 제자는 주화입마에 걸려 그대로 죽었을 테니까요."

"됐다. 공치사는 그만하고, 어여 운기조식이라 해라."

"네, 사부."

설벽린은 얼른 가부좌를 틀고 앉아 운기행공을 시작하였다. 만해거사는 슬그머니 자리에서 일어나려다가 문득 마음을 바꿔 먹은 듯 설벽린의 운기행공을 가만히 지켜보기 시작했다.

* * *

밤은 깊었다.

화평장의 여인들과 아이들은 팔두마차 안에 들어가 숙면 중이었다. 무사들 또한 불침번을 서는 자들을 제외하고는 모두 깊은 잠에 빠져 있었다.

아직도 모닥불 주위에 둘러앉아서 두런두런 대화를 나누고 있는 자들은 강만리와 담우천들이 전부였다.

그곳에서 고굉은 풀이 죽은 채 고개를 푹 숙이고 있었고, 그런 고굉을 향해 강만리의 힐난이 매섭게 쏘아졌다.

"천만다행인 줄 알아. 만약 만해 사부나 구 당주가 없었어 봐. 바로 그 자리에서 죽은 목숨이라고. 알았어?"

"네, 잘못했습니다."

"잘못한 걸 알고는 있는 거야, 진짜로? 원래 영약은 독약과 다를 바가 없어. 막강한 효능을 지니고 있는 만큼 위험부담도 큰 게지. 전문가의 도움 없이 함부로 복용하는 건 정말 위험한 일이라고."

"네. 이번에 크게 깨우쳤습니다."

고굉이 평소 그답지 않게 잔뜩 주눅이 들고 의기소침한 모습을 보이자 강만리는 슬슬 그만해야 하겠다고 생각했다.

그때 고굉이 길게 한숨을 쉬며 억울하다는 듯 중얼거렸다.

"그런 위험을 무릅쓰고 복용한 공청석유인데…… 왜 아무것도 얻지 못했는지 모르겠습니다."

사실이었다.

한 방울 남짓한 공청석유였지만 그래도 최소한 수년 분

량의 내공을 얻을 줄 알았고, 그렇게 기대했던 고굉이었다.

하지만 주화입마에 빠지면서 제대로 제어하지 못한 공청석유의 효능은 순식간에 체외로 빠져나갔고, 결국 고굉은 아무것도 얻지 못한 채 그저 죽을 고비만 넘겼던 것이다.

"아직도 욕심을 부리는 게냐?"

강만리가 쯧쯧 혀를 차며 말했다.

"살아난 게 천만다행이라고 몇 번이나 이야기하지 않았나? 그런데도 그 탐욕과 욕심을 버리지 못하고……."

"하지만 형님."

고굉은 눈물을 글썽이며 울먹거리는 목소리로 말했다.

"저는 겨우 그 정도, 한 방울의 공청석유 정도의 효능도 기대하면 안 되는 겁니까? 제 천생(天生)이 미천하고 더러워서 그런 겁니까? 제가 하오문 흑도 사람이라 그런 겁니까? 네? 왜 저는 기연을 얻지 못해야 하는 겁니까?"

성도부 흑도 방파의 주인이었다가 화평장 식구가 된 이후로 그동안 꽤 쌓인 게 많았던 모양이었다. 고굉은 술도 마시지 않았는데 체면과 자존심은 아랑곳하지 않은 채 눈물을 흘리며 그렇게 애절하게 하소연했다.

가만히 듣고 있던 담우천이 천천히 입을 열었다.

"안 그래도 내가 황금……."

"아뇨."

강만리가 얼른 그의 말을 자르며 한쪽 눈을 찡긋거렸다. 지금은 말할 때가 아니라는 표정이었다. 담우천은 의아한 얼굴이었지만 강만리의 제안대로 입을 다물었다.

홀로 슬픔에 겨워 반쯤 흐느끼던 고굉은 그런 담우천과 강만리의 대화를 전혀 알아듣지 못한 채 고개를 푹 숙이고 어깨를 들썩거릴 따름이었다.

그때였다.

"어라? 왜 분위기가 이리 가라앉았답니까?"

운기조식을 마치고 뒤쪽 마차에서 나온 설벽린이 모닥불로 다가오면서 유쾌하게 말했다. 그 뒤를 따르던 만해거사가 혀를 찼다.

"쯧쯧, 아주 신났구먼그래."

강만리가 눈살을 찌푸리며 입을 열었다.

"보아하니 제법 적잖은 내공을 얻은 모양이로구나."

설벽린이 모닥불 옆에 털썩 주저앉으며 껄껄 웃었다.

"하늘이 보우하셨나 봅니다. 그 죽을 고비를 넘기니까 무려 내공이 반 갑자 이상이나 생겼지 뭡니까? 진짜 날아갈 것 같습니다. 지금이라면 형님과 싸워도 이길 것만 같다니까요."

하필이면 설벽린이 앉은 자리는 고굉의 옆이었고, 그런 설벽린의 자랑 가득 담긴 너스레에 그만 고굉은 참지 못하고 진한 눈물을 뿌리며 자리를 박차고 뛰쳐나가려 했다.

"자리에 앉아."

강만리의 낮은 목소리가 고굉의 발길을 잡았다. 고굉은 이를 악문 채 다시 자리에 앉았다. 모닥불을 쏘아보는 고굉의 두 눈이 검붉게 충혈되어 있었다.

강만리는 그런 고굉을 향해 혀를 한 번 차고는 다시 설벽린을 돌아보았다.

"그런데 말이지."

강만리는 진지한 눈빛으로 설벽린을 향해 물었다.

"공청석유는 어디에서 났지?"

설벽린은 당연하다는 표정을 지으며 어깨를 으쓱거렸다.

"그야 황궁보고에서 얻었죠."

"응? 하지만 정유에게 듣기로는 팔만사천투수침(八萬四千套手針)이라는 암기를 가져왔다고 하던데."

강만리의 맞은편에 앉아 있던 정유가 고개를 끄덕이자, 설벽린도 고개를 끄덕이며 말했다.

"아, 네. 그렇죠. 무공이 약한 제가 사용하기에 정말 좋은 물건이더라고요. 바위나 쇠까지 관통하는 강침(鋼針)인 데다가 심지어 그 강침 끝에 독까지 바를 수가 있더라니까요. 정말 제게 딱 어울리는 물건이었습니다."

"아니, 그러니까……."

강만리가 말하려는 순간, 고개를 푹 숙이고 있던 고굉이 벌겋게 달아오른 두 눈으로 설벽린을 쏘아보며 소리쳤다.

"아니, 그럼 자네는 황궁보고에서 두 가지 물건을 가지고 나왔단 말인가?"

고굉 덕분에 말이 잘린 강만리가 한숨을 쉬며 나지막하게 중얼거렸다.

"나도 그걸 물으려 했는데."

설벽린은 머쓱하게 웃으며 머리를 긁적였다.

"그게, 그렇게 되었습니다. 공청석유나 팔만사천투수침 모두 제 마음에 쏙 드는 바람에, 어느 것 하나 버리고 싶지 않더라고요. 그래서 둘 다 가지고 나왔죠."

"아니, 나는 하나도 가질 수 없었는데 네, 네 녀석은 두 가지의 보물을 가지고……."

고굉이 발작하려는 순간, 강만리가 서늘한 목소리로 말했다.

"그만해라, 고굉."

"형님!"

"그만 입 다물라니까!"

강만리의 언성이 높아졌다.

순간 고굉의 입술 주위가 씰룩거렸다. 금방이라도 폭발할 것 같던 고굉이었지만 결국 그는 체념한 표정을 지으며 다시 고개를 푹 숙였다.

강만리는 다시 설벽린을 돌아보며 물었다.

"그게 어떻게 가능했지? 우리가 보고에서 나왔을 때 환관들이 우리 옷을 모두 벗기고 입안까지 속속들이 조사했는데 말이야.”

“제가 누굽니까?”

설벽린은 어깨를 으쓱거리며 말했다.

“한때는 천하의 취몽월영과 비견되었던 공공아(空空兒)였잖습니까? 사실 제가 마음만 먹었다면 보고의 모든 보물을 송두리째 들고나올 수도 있었다고요.”

“제발 좀 그러지 그랬어.”

고굉이 고개를 숙인 채 중얼거렸다.

“그래서 나도 좀 나눠 주고.”

5장.

변해야 할 때

"아니, 저런 복덩어리는 어디에서 데려온 겁니까?"
상인은 은근슬쩍 욕심을 담아 물었다.
"제게 넘기시지요. 은자 십만 냥이면 어떻겠습니까?"
"허허. 너무 싸게 부르시는 것 아닙니까?"

1. 의형제(義兄弟)

"말도 안 되는 자랑은 그만하고."

강만리는 마치 죄인을 문책하는 포두처럼 냉랭한 눈빛으로 설벽린을 쏘아보며 물었다.

"팔만사천투수침을 숨기기는 힘들었을 터, 공청석유를 어디에 숨겼던 거지?"

설벽린은 한 점 부끄럼 없이 당당하게 말했다.

"항문(肛門) 속이요."

"응? 지금 뭐라고 했지?"

강만리는 자신이 잘못 들었나 생각하고 재차 물었다. 다른 사람들도 놀라기는 매한가지였다. 심지어 고개를 숙이고 있던 고굉도 화들짝 놀라 설벽린을 돌아보았다.

설벽린은 여전히 웃는 낯으로 대답했다.

"생각해 보세요. 그 약병 크기를 보면 숨길 곳이 딱 떠오르지 않습니까? 당연히 항문 깊숙이 밀어 넣었죠. 혹시 환관들이 항문까지 검사할 수도 있으니까, 손가락으로 아주 깊게 밀어 넣었거든요. 그런데 정작 환관들은 항문은 검사할 생각조차 하지 않더라고요, 젠장."

듣고 있던 사람들의 얼굴이 일그러졌다. 만해거사는 한숨을 쉬며 고개를 설레설레 흔들었다.

그러거나 말거나 설벽린은 계속해서 자랑하듯 말을 이어 나갔다.

"어쨌든 너무 깊게 밀어 넣은 바람에 빼낼 때 아주 고생했습니다. 손으로는 도저히 뺄 수가 없어서 변을 볼 때까지 기다려야 했는데, 이게 또 변비인지 뭔지 쉽게 변을 볼 수가 없더라고요."

설벽린의 이야기가 이어지는 동안 고굉의 얼굴이 새까맣게 타들어 가고 있었다.

"그렇게 오매불망 기다리던 끝에 오늘 저녁 식사를 마친 후, 결국 큰일을 보는 데 성공했지 뭡니까? 변을 헤집어서 약병을 꺼냈을 때, 그때의 성취감이란 정말이지 말로 표현할 수가 없었습니다."

"그, 그러니까……."

고굉이 더듬거리며 말했다.

"자네의 그 약병이…… 자네 변 속에 있었던 거라고?"

"네. 아, 물론 물로 씻기는 했습니다만…… 워낙 물이 부족해서 제대로 씻겼는지는 모르겠습니다. 뭐 상관 있겠습니까? 변이든 약병이든 어쨌든 제 몸에서 나온 건데 말입니다."

고굉은 그제야 비로소 왜 공청석유가 담긴 약병에서 그토록 진한 구린내가 났는지 깨달을 수 있었다. 순간 저도 모르게 그 약병에 입술을 대고 맛있게 쪽쪽 빨던 자신의 모습이 떠올랐다.

"우웩!"

고굉은 그 자리에서 먹었던 걸 게워 내려 했다. 속이 울렁거리고 뒤집혀서 참을 수가 없었다.

하지만 아무리 토악질을 해도 올라오는 건 쓴 물뿐이었다. 어쩌면 주화입마 상황에서 몸속의 모든 것들이 체외로 빠져나간 탓인지도 몰랐다.

"왜 그러십니까, 고 방주?"

설벽린은 아무것도 알지 못한다는 표정으로 묻다가, 문득 마차 안에서 만해거사가 해 주었던 말을 떠올렸다.

—네 녀석이 마시고 조금 남겼던 공청석유를 먹은 모양이더라. 고 방주도 주화입마에 걸려 하마터면 죽을 뻔했지.

"아아……."

설벽린은 그제야 고굉이 왜 저렇게 전신을 부르르 떨면서까지 격하게 구토를 하는지 비로소 알게 되었다. 그는 위로의 말을 하려다가 차마 입을 열지 못하고 고개를 돌렸다.

그런 고굉의 속사정을 전해 들어 알고 있던 다른 이들 또한 애써 무심한 표정을 지은 채 밤하늘을 올려다보거나 모닥불을 응시했다.

한참 동안 홀로 쉬지 않고 토악질을 하던 고굉은 소매로 침과 위액을 닦으며 눈물을 글썽거렸다.

"도대체 나는……."

남의 똥 속에 파묻혀 있던 약병을 맛나게 빨아 먹고도 아무런 효과를 보지 못하다니, 도대체 얼마나 하늘에게 밉보여야만 이렇게 될까.

"아아, 그냥 죽고 싶다."

고굉이 한숨처럼 중얼거릴 때였다. 강만리가 천천히 입을 열었다.

"담 형님께서 황금인형설삼 한 뿌리를 주신다고 하더구나."

자괴감에 빠져 있던 고굉은 미처 그 말을 듣지 못했다. 그저 고개를 푹 숙인 채 혼자만의 세계에 갇혀서 뭔가 알아들을 수 없는 소리를 웅얼거릴 따름이었다.

강만리가 가볍게 한숨을 내쉬고는 조금 더 큰 목소리로 말했다.

"고굉!"

"왜?"

고굉이 신경질적으로 받아쳤다.

"왜 남의 이름을 함부로 부르고 그러는데? 동생이라고 생각해서 그리 부른다면 동생 대접을 해야 할 거 아냐? 동생이 아니라고 생각하면 아예 그렇게 부르지를 말든가!"

"어라?"

강만리의 눈이 커졌다.

화군악이 키득거렸다. 만해거사가 안타까운 한숨을 내쉬었다. 설벽린은 즐거워서 어쩔 줄 모르겠다는 얼굴이었다. 담우천은 여전히 무심해 보였다. 정유는 고개를 숙였고, 구자육은 어쩔 줄 몰라 했다.

장예추가 딱하다는 표정을 지으며 그를 말렸다.

"고 형님, 조금만 화를 가라앉히시고……."

"됐어! 가라앉히기는 뭘 가라앉혀?"

고굉은 만류하는 장예추에게도 벌컥 화를 냈다.

"아니, 자네도 마찬가지야! 좋은 물건 가지고 나왔으면 '형님, 조금밖에 안 되지만 이건 형님 몫입니다' 하고 떼어 주면 어디가 덧나? 응? 내가 많은 걸 바라는 것도 아니라고. 설삼 한 뿌리, 하수오 한 조각만 받아도 아주 바닥에 엎드려서 몇 번이나 절을 했을 거다. 아니, 아예 자네를 형님으로 모셨을 거야!"

"그러니까!"

강만리가 버럭 소리쳤다.

"뭐가!"

고굉이 다시 맞서 버럭 고함을 내질렀다. 강만리가 더 크게 소리쳤다.

"담 형님이 네게 황금인형설삼 한 뿌리를 주신다고 하잖아!"

"담 형님이 뭐! 네? 방, 방금 뭐라 하셨습니까? 뭘 주신다고요?"

"아니, 됐다. 없던 일로 하자."

"그, 그게 아니라, 형님! 형님!"

"됐다. 너 좋을 때는 형님이고 아닐 때는 뭐에 불과한 난데, 괜히 좋은 일을 해 줄 이유가 어디 있겠느냐?"

강만리가 팔짱을 끼며 몸을 돌렸다. 안달이 난 고굉이 허둥지둥 자리에서 일어나 빠르게 강만리 곁으로 다가가 눈웃음을 치며 사과했다.

"아휴, 사내대장부가 뭐 그런 걸 가지고 삐치십니까? 제발 화를 푸시고요. 방금 이 동생이 제대로 듣지 못해서 그러는 건데 담 형님이 뭘 주신다고요?"

"됐다니까."

한숨을 쉬면서 두 사람이 티격태격하는 걸 지켜보던 만해거사가 도저히 답답해서 안 되겠다 싶었는지 불쑥 입을 열어 한 수 조언했다.

"나 같으면 강 장주가 아니라 담 장주에게 달라붙겠구나. 어쨌든 물주는 담 장주이니 말이다."

강만리의 옆에서 알랑거리던 고굉은 만해거사의 한마디에 세상 모든 진리를 깨우친 듯한 표정을 지었다.

"아, 그렇죠! 내가 강 형님께 빌 게 아니죠, 지금."

고굉은 서둘러 담우천에게 다가가 무릎을 꿇고 고개를 조아리며 말했다.

"감사합니다, 담 형님. 이렇게 부족하고 미천한 녀석을 위해서 그런 하해와 같은 은혜를 베풀어 주시겠다니, 정말 감사하고 또 감사할 따름입니다."

"고개를 들게."

"네? 아, 네. 네."

"자네가 누구지?"

담우천은 고개를 든 고굉의 눈을 똑바로 바라보며 물었다. 일순 고굉은 당황하여 어쩔 줄 몰라 했다. 담우천이 물어 오는 저의를 알지 못한 까닭이었다.

"저, 저요? 그, 그야 고굉입죠."

고굉이 더듬거리며 겨우 답하자 담우천은 예의 그 무심

하고 냉정한 눈빛으로 그를 보며 다시 물었다.

"고굉이 누구지?"

"고굉이 누구라니요?"

고굉은 좌불안석이 되어 제대로 몸을 가누지도 못했다. 그의 머릿속은 혼란 그 자체였다. 뭐라고 대답해야 할지, 무슨 대답을 원하는 건지 전혀 갈피를 잡을 수가 없었다.

"그, 그러니까…… 성도부 흑방의 방주였고, 지금은 화평장에서 이런저런 일을 하고 있는 고굉입니다만……."

고굉은 연신 담우천의 눈치를 살피면서 힘겹게 입을 열었다. 담우천은 여전히 무심한 얼굴로 말했다.

"그래. 화평장의 식구인 게지. 그리고 우리의 형제이고."

고굉은 반색하며 고개를 연신 끄덕였다.

"그, 그렇습니다. 저는 화평장의 식구이자 담 형님의 의제(義弟)입니다."

"정녕 그리 생각하느냐?"

"그, 그야 물론 저는 그리 생각하고 있습니다만…… 다른 분들은 어찌 생각할지 모르겠습니다."

"틀렸다."

고굉이 기어 들어가는 목소리로 말하자 담우천은 천천히 고개를 가로저으며 말했다.

"자네부터 우리를 의형제로 생각하지 않고 있다."

고굉의 눈이 커졌다. 동시에 그는 손사래를 치며 말했다.

"아닙니다. 저는 분명히 형님을 형님으로 생각하고 동생을 아우로 생각합니다."

"그런가?"

"그렇습니다. 저는 분명 그리 여기고 있습니다."

힘주어 강변한 고굉은 문득 사람들의 눈치를 살피며 말을 덧붙였다.

"하지만 다른 형제들이 저를 형제로 생각하는지는 잘……."

"그것도 틀렸다."

"네?"

담우천은 담담하게 말했다.

"우선 우리를 의형제로 생각하는 자가 왜 스스로를 미천하고 부끄럽다고 여기지? 나는 자기 자신을 부끄러워하고 미천하다 여기는 자를 동생으로 둔 기억이 없다."

"아……."

고굉은 그제야 담우천이 무슨 이야기를 하려는지 이해했다.

담우천이 계속해서 말을 이어 나갔다.

"둘째, 스스로 떳떳하다면 왜 다른 이들의 눈치를 보지? 스스로 우리의 의형제라고 생각한다면 당연히 우리 앞에서 당당해져야 하지 않겠나? 뭔가 꿍꿍이속이 있거나, 혹은 우리를 의형제라 여기지 않기 때문에 그렇게 자신이 없는 건 아닐까?"

"그, 그건 아닙……."

"다른 형제들에 비해 부족한 게 많을 수도 있다. 모자랄 수도 있다. 형제들이 모두 잘날 수는 없으니까. 하지만 부족하고 모자란다고 해서 형제가 아닌 건 아니다. 벽린만 보더라도 우리 앞에서 얼마나 당당하고 떳떳하더냐?"

가만히 듣고 있던 설벽린에게 불똥이 튀었다.

"담 형님! 제가 어때서요?"

설벽린이 억울하다는 표정을 지었다. 담우천은 개의치 않고 계속해서 말했다.

"그러니 당당해져라. 우리의 의형제인 이상 자네는 미천하지도 부끄럽지도 않은 존재이니까. 내 말을 진심으로 이해하고 당당해지겠다면, 내 자네에게 주는 설삼 한 뿌리가 전혀 아깝지 않을 것이다."

"무, 물론입니다, 담 형님."

고굉은 두 눈을 반짝이며 말했다.

"방금 하신 말씀, 뼛속 깊이 새겨 두겠습니다. 앞으로 화평장의 일인(一人)이라는 것에, 그리고 무림오적의 의형제라는 사실에 자부심을 느끼고 더욱더 당당해지겠습니다. 스스로를 부끄러워하거나 미천하다고 여기지 않겠습니다. 더는 눈치를 보지 않고 진짜 내 형이나 동생 대하듯, 그렇게 행동하겠습니다. 저 밤하늘의 수많은 별에 대고 맹세하겠습니다."

사람들은 고굉의 결의에 찬 맹세를 묵묵히 지켜 들었다.

고굉이 앞으로 어떻게 변할지는, 혹은 전혀 변하지 않을지는 아무도 모르는 일이었다.

그러나 지금 저 결연한 목소리와 표정만큼은 아무런 사심이 들어 있지 않은 올곧은 진심이라는 걸, 이 모닥불 곁에 앉아 있는 이들은 잘 알고 있었다.

살아가다 보면 누구나 한 번쯤 자신이 변해야 한다고 생각할 때가 있다.

연인과 헤어지거나 시험에 낙방했을 때, 새로운 기회를 얻었을 때, 혹은 지금의 삶에서 벗어나고 싶을 때, 그렇게 사람은 본능적으로 자신이 변해야 할 때를 알게 된다.

하지만 변해야 할 때를 알게 되어 변해야겠다고 생각하는 것과 실제로 변하는 건 전혀 다른 차원의 일이었다.

대부분 사람은 결국 생각하는 것에서 끝나고 그래서 좀처럼 쉽게 찾아오지 않는 '변해야 할 때'를 놓치게 된다. 결국 변해야 할 때를 놓치지 않고 변화를 시도하여 평소의 생활, 삶에서 벗어나는 건 극소수의 사람들뿐이었다.

어쩌면 지금 고굉은 진심으로 이제 자신이 변해야 할 때라고 생각하는 것인지도 몰랐다.

하지만 그가 변할지, 아니면 평소의 삶에서 벗어나지 못할지는 결국 자신의 의지와 끈기와 노력에 달렸고, 그건 오직 고굉만이 해낼 수 있는 일이었다.

2. 야반도주(夜半逃走)

"아니, 저런 복덩어리는 어디에서 데려온 겁니까?"

상인은 은근슬쩍 욕심을 담아 물었다.

"제게 넘기시지요. 은자 십만 냥이면 어떻겠습니까?"

"허허. 너무 싸게 부르시는 것 아닙니까?"

염근초가 웃으며 말했다.

"황금 십만 냥이라면 생각해 보겠습니다."

"허어, 아예 생각이 없다고 하시지 그러시오?"

상인의 말에 염근초는 껄껄 웃으며 말했다.

"이게 다 왕(王) 대인(大人)께 배운 상술입니다만."

"이렇게 자연스레 거절하는 방법은 저보다 훨씬 낫소이다."

왕 대인이라 불린 상인은 쩝쩝 입맛을 다시며, 자신이 은자 십만 냥을 불렀던 대상을 힐끗거렸다.

사슴처럼 매끈하고 날렵하며 탱탱한 몸매를 지닌 소녀는 장미처럼 화사하고 꿀처럼 달콤한 미소를 지으며 손님들을 접대하는 중이었다.

"이렇게 무더울 때는 황실에서 즐겨 마시는 산매탕 한 그릇씩 먼저 드시는 게 좋지 않을까요? 네, 그럼요. 얼음처럼 시원한 우물물을 길어서 만들었답니다. 정신이 번쩍 나고 폐부 깊숙이 차가운 기운이 돌아 절로 등골이 오싹거릴 정도랍니다. 네, 알겠어요. 그럼 산매탕 다섯 그릇 추가요."

얼굴은 아름답고 가슴은 풍만하며 허리는 잘록하고 허벅지는 탱탱한 소녀가 입담은 수십 년 객잔에서 구른 노련한 점소이보다 뛰어났다.

순식간에 필요하지도 않은 산매탕 다섯 그릇까지 팔아 해치우는 그녀의 언변에, 왕 대인은 다시 한번 군침을 꿀꺽 삼키며 중얼거렸다.

"황금 십만 냥이라……."

더없이 무더운 칠월 초, 바람 한 점 없는 저녁.

저녁 식사와 함께 술 한잔하기 위해 북경부 북쪽 화려한 이 층 전각, 화운각(華雲閣)이라는 고급 현판이 걸린 객잔을 찾아온 손님들은 마치 여우에 홀리고 귀신에 씐 것처럼 필요하지 않은 음식을 비롯하여 생각하지 않던 소비를 하고 있었다.

저 과즙 뚝뚝 떨어지는 상큼하고도 달콤한 어린 여인의 미소 앞에서.

"좋은 아이다."

왕 대인은 진심으로 소녀를 칭찬했다.

길고 험한 상행을 마치고 오래간만에 북경부로 돌아온 터였다. 마침 가볍게 술 한잔하러 들른 단골 객잔에서 이런 최상등품의 계집을 만나게 될 줄은 왕 대인도 전혀 생각지 못한 일이었다.

"이런 객잔의 어린 점소이로 썩기에는 너무나 아까울 정도로 좋은 아이다. 청루(靑樓)로 보내면 최소 은자 백만 냥, 홍루(紅樓)로 보내면 은자 이백만 냥은 받아 낼 수 있는 아이다. 하지만 황금 십만 냥은……."

왕 대인은 아쉬운 듯 입맛을 쩝쩝 다시며 중얼거렸다.

황금 십만 냥은 시가에 따라 은자 삼백만 냥에서 오백만 냥 사이를 오가는 거액이었다.

아무리 낮아도 황금 한 냥이 은자 서른 냥 밑으로 떨어지지 않았고, 반대로 아무리 높아도 은자 쉰 냥 이상의 가치는 갖지 못했다.

아마 금값이 오른 요즘 시세라면 황금 십만 냥은 최소 은자 사백오십만 냥은 줘야 할 듯했다.

"쩝. 겉보기에는 세상 물정 전혀 모를 것처럼 생긴 뚱보 주인장이 의외로 셈에 밝다니까. 한 사오십만 냥만 불렀어도 당장에 샀을 텐데 말이지."

왕 대인은 투덜거렸다.

은자 사오십만 냥이라면 굳이 청루나 홍루에 팔지 않더라도 자신의 시중을 들게 하는 것만으로도 충분히 제값을 하는 가격이었다. 거기에 밤시중까지 곁들인다면 남고도 훨씬 남는 장사였다.

"아깝네. 주인장에게 사람 보는 눈이 있다는 게 말이지."

왕 대인이 다시 중얼거릴 때였다.

호랑이도 제 말 하면 온다고 했던가. 이곳 화운각의 주인인 뚱보 중년인 염근초는 왕 대인이 주문한 죽엽청 한 병과 우육탕 한 그릇을 가지고 돌아왔다.

그는 왕 대인의 혼잣말을 들었는지, 탁자 위에 술과 음식을 올려놓으면서 싱글거리며 말했다.

"제가 사람 볼 줄 알기 때문에 왕 대인께는 이렇게 직접 술과 음식을 가져오지 않겠습니까? 제가 시중드는 고객은 몇 분 되지 않습니다."

왕 대인이 웃으며 반은 진심을 담아 말했다.

"차라리 저 아이의 시중이 백 배는 더 나을 것 같소이다."

"하하하. 원하신다면 그리하죠. 얘, 소홍아."

"네."

소홍이라 불린 소녀가 쪼르르 달려왔다.

가까이서 보니 그 미모가 더욱 빛이 나, 제대로 가다듬으면 경국지색(傾國之色)까지는 아니더라도 성(省) 하나는 들썩일 정도의 미모였다.

"부르셨어요?"

소홍은 발랄하게 웃으며 묻자, 염근초 또한 웃으며 말했다.

"이 나리께 술 한 잔 따라 드리도록 해라. 이번에 저 멀리 여진과 조선 땅까지 상행을 하고 돌아오신 분이다."

"와아, 진짜 멀리 돌아다니시네요. 잘 오셨어요. 역시 우리나라 음식이 그리우셨죠?"

소홍이 술을 따르며 묻자 왕 대인은 고개를 끄덕이며 대답했다.

"그래서 우육탕을 시킨 게 아니더냐? 이 무더위에 말이지."

"뜨거운 우육탕 한 수저면 그동안 여정에서 느끼셨건 갈증이 싹 가라앉으실 거예요. 맛있게 드세요."

"허허, 고맙다. 아, 술도 따라 줬는데 그냥 보내면 서운하지. 이거 받게."

왕 대인은 품에서 은원보 한 덩어리를 꺼내 소홍에게 건넸다.

"와아, 감사합니다. 복 받으세요."

소홍은 기뻐하며 은원보를 받아 들었다. 왕 대인은 흐뭇한 눈길로 그 모습을 바라보다가 내심 고개를 갸웃거렸다.

'생각보다 반응이 크지 않은데? 이런 객잔에 나와 일하는 아이라면 오십 냥짜리 은원보를 보고 기절초풍하는 척이라도 할 텐데 말이지.'

소홍은 왕 대인과 염근초를 돌아보며 말했다.

"그럼 밀린 주문이 많아서 이만……."

염근초가 웃으며 고개를 끄덕였다.

"그래. 가 봐라."

왕 대인은 뒤돌아선 소홍의 탱탱한 엉덩이를 바라보며 무심코 중얼거렸다.

"원래 요즘 아이들이 다 그런가? 하기야 그 담호라는 아이도 돈욕심이 없기는 했지."

바로 그때였다.

막 다른 손님의 탁자로 향하던 소홍이 화들짝 놀라며 왕 대인으로 돌아왔다. 그녀는 왕 대인의 얼굴 가까이 제 얼굴을 들이밀며 다급하게 물었다.

"방금 뭐라고 하셨어요?"

왕 대인은 흠칫 놀라 얼굴을 뒤로 빼며 대답했다.

"요즘 아이들이 다 돈욕심이 없나 보구나 했는데."

"아휴, 그것 말고요. 그러니까 아이 말이에요."

"아, 담호라는 아이?"

"네. 바로 그 담호라는 아이요. 그 아이를 어떻게 아세요?"

“응? 그러는 넌 그 담호라는 아이를 어찌 아느냐?”

왕 대인은 고개를 갸우뚱거리며 되물었다.

소홍의 얼굴이 살짝 붉어졌다. 하지만 그녀는 곧 태연하게 말했다.

“친척이거든요. 우리 돈을 떼먹고 도망친 친척 아이 중에 담호라고 있어요.”

“아…….”

왕 대인은 크게 고개를 끄덕였다.

“그래서 이 시절에 유주로 간다고 했나 보구나, 그 멧돼지같이 생긴 자가?”

소홍의 눈이 커졌다. 그녀는 연신 고개를 끄덕이며 말했다.

“맞아요. 강만리, 강 숙부예요. 우리 집 돈을 떼먹고 야반도주한.”

“흠, 성질 더럽게는 생겼지만 돈 떼먹게 생기지는 않았는데.”

“그러니까요. 그래서 다들 속았지 뭐예요. 우리 말고도 마을에서 떼먹힌 집이 여럿이라니까요.”

“그렇구나. 안 되었네, 정말.”

“그런데 그 강 숙부 일행은 어디에서 만나셨어요?”

“아, 회주와 유주 사이쯤에서 만났지. 요즘 여진족들의 움직임이 심상치 않다고 조언을 해 주었거든.”

왕 대인은 며칠 전의 기억을 더듬으며 말했다.

"그때 그 담호란 아이가 꽤 똘똘하고 착해 보여서 은자 한 냥을 줬더니 한사코 받지 않더라니까. 팔두마차 두 대와 수십 필의 호위무사들이 딸린 부자여서 그런가 했더니, 알고 보니 그 돈들이 모두 마을에서 떼먹은 돈이었군 그래?"

"맞아요. 정말 못된 사람들이죠. 그런데 그게 언제 이야기인데요?"

"사흘 정도 되었지? 흠, 지금이면 유주 중간 정도 지났겠군. 그 지역이 워낙 땅이 거칠고 험해서 하루에 백 리 가기가 힘들거든."

"그렇군요. 고마워요. 우리 언니가 들으면 정말 기뻐할 거예요."

"음? 언니도 있었나?"

"네. 아, 지금 내려오시네요. 언니!"

소홍이 이 층 계단을 돌아보며 손짓했다. 왕 대인이 그녀의 시선을 따라 고개를 돌렸다가, 저도 모르게 "헉!" 하고 숨을 들이켜야 했다.

월궁(月宮)의 항아(姮娥), 천상의 선녀가 계단을 따라 내려오는 중이었다. 일 층 대청에 앉아서 식사와 술을 하던 모든 이들이 동작을 멈추고 입을 벌린 채 그녀를 쳐다보았다.

등장만으로 모든 사내의 심장을 멈추게 할 정도의 아름다운 미모와 우아한 자태를 지닌 여인이었다.

'이 소홍이라는 아이가 황금 삼십만 냥이라면 저 여인은 황급 백만 냥은 줘야겠구나.'

왕 대인이 저로 모르게 속으로 그런 계산을 하고 있을 때, 소홍의 부름을 들은 여인은 옷자락을 나풀거리며 사근사근한 발걸음으로 왕 대인의 탁자를 향해 다가왔다. 왕 대인은 저도 모르게 자리에서 일어나 그녀를 맞이했다.

여인이 가볍게 고개를 끄덕이고는 소홍을 향해 눈을 흘기며 말했다.

"소란스럽기는 여전하구나."

"그게 아니라요, 언니."

소홍이 잔뜩 흥분하여 말했다.

"이 어르신이 강 숙부와 담호를 만났다잖아요, 글쎄."

여인, 십삼매의 눈빛이 고혹적으로 빛났다.

"그래?"

왕 대인이 허둥지둥 고개를 끄덕였다.

"그렇습니다. 확실히 아가씨의 돈을 떼먹은 자들을 유주 초입에서 만난 적이 있습니다."

"제 돈을요?"

십삼매는 힐끗 소홍을 돌아보았다. 소홍이 헤헤, 웃었

다. 십삼매는 다시 부드럽게 미소 지으며 왕 대인에게 물었다.

"그들은 잘 지내는 것 같나요?"

왕 대인은 속으로 감탄했다.

'외모뿐만 아니라 심성도 선녀로구나. 자신의 돈을 떼먹은 자들의 안녕을 묻다니 말이다.'

왕 대인은 여전히 공손하게 선 채 대답했다.

"네. 잘 지내는 것 같습니다. 어른들의 얼굴은 피곤함에 찌들지 않아 보였고, 아이들 또한 건강하게 뛰놀더군요."

"조금 더 자세한 이야기를 들을 수 있을까요?"

"물론입니다. 앉으시죠."

"고마워요."

십삼매는 우아한 자태로 왕 대인의 맞은편에 앉았다. 소홍도 따라 앉았다. 일순, 대청의 사람들이 내쉬는 무거운 한숨에 탁자까지 흔들리는 것 같았다.

왕 대인은 졸지에 이 대청의 승리자가 된 것 같아 절로 고개가 빳빳해졌다. 하기야 천하의 미녀 두 명과 마주 앉아 있으니 다른 사내들의 질투와 시기는 당연한 것이리라.

왕 대인은 그런 사내들의 시선을 즐기며 조심스레 입을 열었다.

"우선 술로 목을 축이는 건……."

소홍이 웃으며 말했다.

"시원한 산매탕이 더 좋을 것 같은데요."

십삼매도 동의한다는 듯 고개를 끄덕였다.

왕 대인은 서둘러 아직도 옆자리에 서 있던 염근초를 향해 빠르게 주문했다.

"얼음처럼 시원한 산매탕 두 그릇, 아니 세 그릇 내주시오."

염근초가 웃으며 말했다.

"금방 대령해 올리겠습니다."

3. 강만리의 제안

유주로 접어든 지도 사흘째가 되었다.

북경부 북쪽에 위치한 화운각에서 왕 대인이 두 명의 더없이 아름다운 여인과 마주 앉은 까닭에 잔뜩 들뜬 채로 아무렇게나 이야기를 하고 있을 때, 팔두마차 두 대와 수십 필의 말은 다시 새로운 야영지에 멈춰 서서 야숙을 시작하고 있었다.

이 황무지에서 가장 중요한 건 물의 보급이었다. 마실 물이야 마차 짐칸 가득 실어 두었으니 상관없었지만, 그릇을 닦고 몸을 씻을 물은 황무지 내에서 구해야 했다.

그런 만큼 그들의 이동 경로는 황무지를 따라 흐르는 조그만 물줄기와 그 궤를 같이하고 있었다.

그 물줄기는 곧 대릉하(大陵河)의 거대한 하천으로 합류할 것이고, 대릉하 북쪽에 다다르면 마침내 황무지를 지나 낮은 구릉지대가 펼쳐지며, 그 구릉은 다시 연산산맥(燕山山脈)으로 이어지게 된다. 북해는 연산산맥 너머에 있었다.

강만리는 무사들이 저녁 식사를 마친 그릇을 들고 물가로 가는 모습을 지켜보며 머리를 굴렸다.

'이 속도라면 아직도 보름 이상 더 걸리겠구나. 그것도 별다른 소동이 없다는 가정하에서 말이지.'

이날처럼 느닷없이, 전혀 예상치도 않은 비적(匪賊)을 만나 시간을 허비하게 되면 한 달이 넘게도 걸릴 여정이었다.

사방이 훤히 드러난 황무지에도 비적이 있겠느냐 하면 확실히 있었다. 그것도 말을 질주하며 창과 도끼를 휘두르는 비적들이었다.

이곳 유주의 황무지는 대륙과 조선을 오가는 사신의 행렬이 드물지 않았다. 또한 왕 대인처럼 조선이나 여진을 상대로 장사를 하는 상인의 상단 역시 이 황무지의 물길을 따라 이동했다.

어쨌든 긴 여행에는 물이 필요했고, 이 황무지의 작은 물길은 사막의 녹주(綠州)와 다를 바가 없었으니까.

물론 요녕에서 해안길을 따라 북경으로 이동하는 여정도 없지는 않았다. 심지어 선박을 이용하는 경우도 있었다.

그러나 황무지에는 비적이 있듯, 그 여행길에는 수적(水賊)이 있었다.

어디에나 도적은 있기 마련이었다. 사람 사는 곳이라면, 사람이 있는 곳이라면 어디에든 도적이 있었다. 그러니 이런 황무지에 비적이 있겠느냐 하는 질문은 극히 어리석은 질문이었다.

회주와 유주 일대를 돌아다니며 상단과 마을을 공격하는 비적단(匪賊團)의 수는 대략 사오십 개, 그중 가장 큰 비적단의 규모는 삼백 명에 이르렀고 가장 조그만 비적단은 열 명 정도 되었다.

강만리 일행을 공격한 비적의 수는 대략 삼십 명 정도의 소규모 무리였다.

하지만 한두 번 비적질을 해 본 솜씨가 아니었다. 황무지 저편에서 갑자기 말을 몰고 달려와 강만리 일행을 에워싸는 포진(布陣)이나 한 손으로 말고삐를 잡고 한 손을 머리 위로 들어 장창(長槍)을 휘돌리는 모습은 일반 굶주린 민초(民草)들이 어쩔 수 없이 도적질에 나선 것과 전혀 달랐다.

아마도 지금껏 최소한 십여 차례 이상의 비적질에 나섰고, 그때마다 혁혁한 성과를 올린 무리임이 분명했다.

또 그래서였을 게다. 강만리 일행의 수가 무려 오십 명이 넘었음에도 불구하고 그렇게 자신만만하게 소리친 까닭은.

―가진 것 모두 내놓고 도망쳐라. 목숨만은 살려 줄 터이니!

비적단 두목의 쩌렁쩌렁한 고함에 화평장 무사들은 피식 실소를 흘렸다.

화평장의 호위대는 양위를 중심으로 한 북해빙궁과 고굉을 중심으로 한 흑룡방도와 낭인무사들로 구성되어 있었다.

북해빙궁의 무사들이야 애당초 일류급 고수들이고, 흑룡방도와 낭인무사들은 화평장에 있었을 때부터 치열한 훈련을 받아 폭풍 성장을 한 자들이었다.

또한 그들은 저 무적가와 철목가의 무사들과 끝까지 싸워 버티고 살아남은 역전(歷戰)의 고수들이었다.

그런 고수들이 한갓 비적단의 위협에 쩔쩔매는 건 있을 수가 없는 일이었고, 결국 상황은 강만리 일행이 나서기도 전에 양위가 이끄는 북해빙궁의 고수들이 앞장서서 정리했다.

눈 깜짝할 사이에 십여 명의 사상자를 낸 비적단 무리는 놀라고 기겁하여 황급히 말머리를 돌려 도주했다.

하지만 그 와중에도 비적단의 두목은 협박하는 걸 잊지 않았다.

―우리 질풍대(疾風隊)의 뒤에 누가 있는지 아느냐? 두고 보자! 반드시 오늘의 치욕을 갚아 줄 터이니!

양위는 아무런 대꾸 없이, 바닥에 쓰러진 비적의 창을 주워 들더니 도망치는 비적단의 두목을 향해 힘껏 던졌다. 창은 요란한 파공성과 함께 순식간에 이십여 장의 거리를 날아가 두목의 어깨에 박혔다.

―컥!

두목은 비명을 토하며 말에서 떨어질 뻔했지만, 그래도 명색이 두목이라고 어떻게든 말에서 버티고 도주하는 데 성공했다.

"뭘 그리 깊게 생각하십니까?"

강만리가 모닥불을 응시하며 잠시 낮의 상황을 떠올리고 있을 때, 화군악과 장예추가 다가와 앉으며 물었다. 강만리가 고개를 들었다.

머리에 물기가 남아 있는 것이 물가에서 멱이라도 감고 온 모양이었다.

"아무것도 아니다."

강만리는 주변을 둘러보며 말을 돌렸다.

"다른 사람들은?"

"아까 저녁 식사 전에 형님이 말씀하셨잖습니까? 이번 황궁보고에서 가지고 나온 영약을 일정하게 배분하는 게 어떠냐고 말입니다. 그래서 다들 만해 사부와 구 당주와 함께 있습니다, 저쪽 마차에요."

"흠. 그렇구나."

"그런데 어떻게 그런 생각을 하셨대요? 역시 어제 고 형님의 눈물이 큰 역할을 했나 봅니다."

"고굉이 한 건 아무것도 없다."

강만리는 눈살을 찡그리며 말했다.

"단지 마구잡이로 영약을 복용하는 것보다는 만해 사부나 구 당주와 의논해서 정량을 먹는 게 훨씬 낫지 않을까 싶어서 한 말이다. 게다가 그렇게 나누게 되면 훨씬 더 많은 이들이 영약의 효능을 볼 수 있으니까."

강만리의 말은 일리가 있었다.

천년하수오를 통째로 씹어 먹고 공청석유 한 병을 통째로 마신다고 해서 그 모든 효능을 전부 받아들이는 건 아니었다. 신체가 허용하는 범위 내의 효능 이외에는 모두 체외로 빠져나가는 게 일반적이었다.

그러니 사람들마다 본인의 기맥과 단전이 받아들일 수 있는 용량만큼만 섭취할 수 있도록, 만해거사와 구자육이 일일이 검사하고 조사해서 그만큼의 분량만 먹도록 하자는 게 저녁 식사 때 했던 강만리의 제안이었다.

물론 그의 제안을 싫어하고 내켜 하지 않는 이들이 없지는 않았다. 아들 정에게 천년하수오를 달여 먹을 생각에 들떠 있던 예예도, 열두 알의 대환단을 가지고 있던 화군악도 영 표정이 밝지 않았다.

강만리의 제안에 제일 먼저 찬성한 건 역시 담우천이었다.

"좋은 생각일세."

황금인형설삼을 챙겨 왔던 담우천은 표정 한 점 변함이 없이 말했다.

"어차피 내 아이들에게 다 먹이고도 남을 분량이니 내공이 부족한 이들과 함께 나누는 것도 나쁘지 않겠지."

담우천의 말에 고굉이 감격하여 크게 외쳤다.

"역시 담 형님이 최고이십니다!"

만년화리의 내단을 가지고 온 나찰염요가 웃으며 물었다.

"그럼 이 내단은 어떻게 할까요? 나눠서 먹어야 하나요?"

만해거사가 진지하게 말했다.

"황금인형설삼과 만년화리의 내단은 상극이라 함께 복용하면 안 되지만, 천년하수오나 공청석유라면 상관없을 것이오."

공청석유를 챙긴 정소흔이 힐끗 화군악을 쳐다보며 말했다.

"그럼 공청석유에 녹여서 함께 복용하면 좋을 것 같네요."

"그렇게 한다면 아마 효능이 배 이상 될 것 같소. 물론 과거에 그런 실험을 한 기록은 없지만 말이오."

사람들이 모두 동의하는 기색을 보이자 예예가 한숨을 쉬며 말했다.

"나 혼자 욕심을 부릴 때가 아니네요. 좋아요. 저도 천년하수오를 내놓겠어요."

그러자 사람들의 시선에 화군악에게로 쏠렸다. 영약을 가지고 나온 이들 중 남은 이가 그 혼자였던 게다. 화군악은 머쓱하게 웃으며 말했다.

"형수께서 그리 말씀하시는데 어찌 제가 욕심을 부릴 수 있겠습니까? 저도 대환단을 내놓겠습니다."

"아니. 너는 가지고 있어."

강만리가 고개를 저으며 말했다.

"네?"

화군악이 애써 기쁜 표정을 감추며 물었다.

"왜요?"

"다른 영약만으로 충분할 것 같으니까. 안 그렇습니까, 만해 사부?"

만해거사는 잠시 머리를 굴리다가 고개를 끄덕였다.

"탕을 끓여서 일반 무사들에게 한 숟갈씩 복용하게 한다면, 확실히 충분할 것 같네."

강만리가 다시 물었다.

"대환단은 내공만 올려 주는 게 아니라 기사회생의 효능도 함께 있다고 하던데 맞습니까?"

"기사회생까지는 아니더라도…… 확실히 그런 효능이 있기는 하지."

소림사의 대환단이 무림 제일의 영약이라 불리는 이유가 바로 그것이었다.

무당파나 화산파 등 다른 문파에서 제조하는 일반 영약은 구명(救命)의 효능과 내공 증진의 효능이 확실하게 나눠져 있어서, 그 두 가지를 함께 가지고 있는 건 오로지 소림사의 대환단뿐이었다.

"그러니까 대환단은 비상용으로 남기자는 게 내 의견입니다. 앞으로 무슨 일이, 어떤 사고가 발생할지 모르니 말입니다."

강만리의 말에 사람들이 고개를 끄덕이며 동의했다. 화군악이 활짝 웃으며 말했다.

"그럼 제가 계속 가지고 있어도 되겠군요."

"왜? 싫어?"

"싫기는요. 좋기만 합니다."

"설마 따로 몰래 복용할 생각은 아니겠지?"

"설마요. 제 대환단이 열두 알이라는 건 누구나 다 알고 있잖습니까? 어떻게 몰래 먹겠어요."

"그건 그렇지."

강만리는 어깨를 으쓱거렸다.

6장.

아낄 때와 써야 할 때

갑부들은 은자 한 냥조차 함부로 낭비하지 않는 법이었지만,
쓸 때는 아낌없이 쓰는 게 또 그들이었다.
부자가 되기 위해서는
아낄 때와 써야 할 때를 제대로 구분하고 활용할 줄 알아야 했다.

아낄 때와 써야 할 때

1. 일(一) 갑자(甲子)의 내공(內功)

영약이 아깝지 않은 건 절대 아니었다.

애당초 갑부들은 은자 한 냥조차 함부로 낭비하지 않는 법이었지만, 쓸 때는 아낌없이 쓰는 게 또 그들이었다. 부자가 되기 위해서는 아낄 때와 써야 할 때를 제대로 구분하고 활용할 줄 알아야 했다.

강만리 역시 이번에는 반드시 써야 할 때라고 생각했다.

사실 자식들에게 영약을 복용케 하는 건 부모로서 당연한 일이었다.

하지만 지금 급한 건 그게 아니었다. 오대가문과 금적

산, 그리고 황후까지 강만리들을 죽이고자 수백 수천의 고수들을 보내올 게 분명했다. 그러니 무엇보다 시급한 건 화평장 무사들의 무위를 상승케 하는 일이었다.

강만리는 이날 낮에 양위의 수하들이 비적단과 싸우는 광경을 지켜보면서 솔직하게 실망했다.

물론 대부분의 무사들 모두 일개 비적단 무리에 비해 월등한 실력을 뽐냈지만, 압도적인 실력 차를 보이지 못하는 이들도 제법 눈에 띄었던 까닭이었다.

'겨우 이 정도 무위라면 오대가문의 정예들과 맞서 싸워 버텨 낼 수가 없을 것이다.'

지금 강만리의 수하들은 대략 오십여 명 정도, 양위 등 몇몇을 제외하면 대부분 일류에서 이류 정도의 실력을 지니고 있었다.

강만리는 그들이 최소한 양위 이상, 그러니까 노경 이상의 실력이 되어야 한다고 생각했다. 소수 정예라고 불리려면 적어도 구파일방의 장로급 무위를 지녀야 했다.

그리고 단시일 내에 그들의 무위를 향상시키는 방법은 역시 영약의 복용뿐이었다.

그렇게 해서 강만리는 영약을 함께 나눠 복용하자는 제안을 하게 되었고, 화평장 사람들은 대부분 흔쾌히 동의했다. 그들 또한 강만리의 속내를 정확하게 이해하고 있었으니까.

저녁 식사를 마친 후 만해거사와 구자육은 곧 심각한 표정으로 상의하기 시작했다.

사실 영약을 한데 섞어서 복용하는 건 금시초문(今始初聞), 사상초유(史上初有)의 일이라 할 수 있었다. 자칫 상성이 좋지 않거나 상극인 영약을 한데 뒤섞어서 극독을 만들 수도 있었다. 영약의 효능과 효능이 서로 맞부딪치면서 효능이 저하되거나 아예 사라질 수도 있었다.

그런 불안함 속에서 만해 거사와 구자육은 영약을 혼합했을 때 가장 좋은 배합, 효능을 극대화하는 방법을 찾아야 했다.

또 한편으로는 사람들의 기맥과 단전의 그릇이 어느 정도인지 확인하여 그에 알맞은 영약을 복용하게끔 해야 했다.

"가능할지는 모르겠지만……."

강만리는 그렇게 골머리를 앓는 만해거사와 구자육에게 외려 더 큰 문제를 던져 주었다.

"유주를 벗어나기 전에 해결했으면 좋겠습니다."

그 말을 들은 만해거사는 두 손을 번쩍 들며 말했다.

"차라리 날 죽이게."

강만리는 진지한 표정으로 말했다.

"만해 사부와 구 당주라면 할 수 있을 거라고 믿습니다."

결국 만해거사와 구자육은 어깨를 축 늘어뜨린 채 마차 안으로 들어갔다. 그리고 사람들을 불러 그들의 기맥과 단전의 내공을 확인하는 작업을 시작했다.

'삼십 년, 아니 최소한 이십 년 내공만이라도 올릴 수 있다면…….'

강만리는 그렇게 생각했다.

일 년의 내공은 곧 평범한 자질의 무인이 평범한 심법으로 평범하게 일 년 동안 운기조식을 하여 얻을 수 있는 내공을 뜻했다.

즉, 기재가 뛰어나거나 혹은 상승 심법이거나 혹은 특이한 방식이라면 일 년에 십 년 이십 년, 혹은 삼십 년의 내공도 쌓을 수가 있다는 의미였다.

그리고 영약을 복용하는 것도 그렇게 특별하게 내공을 쌓는 방식 중 하나가 될 수 있었다.

'다들 적어도 이삼십 년 정도의 내공을 지니고 있을 테니까…….'

거기에 이십 년 내공이 더해진다면, 조금은 아쉽지만 그래도 대충 일 갑자 가까운 내공이 되는 게다.

일(一) 갑자(甲子)의 내공(內功).

육십 년 동안 쉬지 않고 운기조식을 해야 얻을 수 있는 내공. 상승 무공, 내가기공(內家氣功)을 원활하게, 자유자재로 펼칠 수 있게 되는 경지. 일류급 무사에서 절정의 고수로 넘어가는 단계이자, 상승 고수임을 나타내는 증명과 같은 것.

그게 바로 일 갑자의 내공이었다.

말이 일 갑자의 내공이지, 일반 무림인들 중 일 갑자의 내공을 쌓은 이는 거의 없었다. 심지어 심산유곡에 틀어박힌 채 모든 시간을 무공과 수련에 투자하는 구파일방의 제자들조차 그 경지에 오르는 고수는 드물었다.

최소한 구파일방의 장로급 정도는 되어야, 장로들 중에서도 오로지 수련에 몰두하고 심법에 정진한 이들만이 오를 수 있는 경지가 바로 일 갑자의 내공이었다.

물론 그중에는 기연을 얻거나 특별한 심법을 익혀서 일반적인 방법보다 몇 배는 빠르게 내공을 쌓는 이들도 없지 않았다.

또한 백 년 가까운 오랜 세월 동안 자신의 문파에서 최고의 심법을 수련한 도승들은 일 갑자를 넘어 이 갑자에 가까운 내공을 쌓기도 했다.

강만리도 그런 경우였다.

신입 포쾌 시절 우연히 익힌 심법은, 미뤄 짐작하기로는 백 년 이래 무림제일심공(武林第一心功)이라 불리는 금강철마존의 심법인 듯했다.

거기에 태양빙옥수와 공청석유의 효능까지 팔 할 이상 자신의 것으로 소화했으니, 강만리는 이미 일 갑자의 내공을 훌쩍 뛰어넘어 이제 이 갑자를 넘나드는 내공을 쌓고 있었다. 아마도 내공 면에 관해서는 무림 최고의 고수라고 해도 과언이 아니었다.

'내가 무공을 수련한 시간이 짧고 그 숙련도가 부족함에도 불구하고 강호의 최절정 고수들과 맞서 싸울 수 있었던 건 결국 내공 덕분이지.'

강만리는 그렇게 생각했다.

사실 반대로 생각하면, 강호 최고 수준의 내공을 가지고 있으면서도 다른 절정 고수들을 압도하지 못하는 건 역시 수련의 시간이 짧고 숙련도가 떨어지기 때문이었다.

그러니 만약 강만리가 담우천 정도의, 아니 화군악이나 장예추만큼의 숙련도를 쌓는다면 그때는 그 어떤 상대와 싸워도 완벽하게 승리를 거머쥘 수 있으리라.

'하지만 그러기에는 시간이 없다.'

어디 시간만 없을까.

아무리 뛰어난 재능을 가진 무림인이라 하더라도, 나이가 들면 근력과 집중력은 물론 민첩성과 반응 속도, 이해력과 순응력 등 모든 게 떨어지기 마련이다.

일반적으로 무인의 정점을 삼십 대 초반에서 중반이라고 하는 이유가 바로 그 때문이었다.

체력이 최고조에 올랐다가 떨어지는 바로 그때, 반면

무공의 숙련도는 거의 꽃을 피울 정도로 화려하게 피어오르는 그때, 그게 서른 초반에서 중반의 나이였다.

대저(大抵), 서른이 넘어가면 새로운 걸 받아들이기가 힘들어진다. 그저 익혔던 걸 반복하고 또 반복해서 몸에 맞는 옷처럼 완벽하게 길들일 수밖에 없었다.

그래야 근력 뛰어나고 순발력 좋고 반응 속도 빠른 젊은이들과 맞서 싸울 수가 있는 것이다.

그러고도 부족한 건 나이를 먹으면서 쌓인 경험으로 보완하고 내공으로 밀어붙여야 했다.

나이 든 이들이 내세울 건 그 두 가지뿐이었다. 숱한 싸움과 강호 생활의 오랜 경험을 통해 만들어진 관록은 판세를 읽고 형세를 판단하며 승패를 가르는 승부처를 짚어 준다.

또한 수십 년 동안 쉼 없이 쌓아 올린 내공은 자신의 신체를 흔들리지 않는 거목처럼 버티게 해 주며 젊은 상대를 파죽지세로 몰아붙일 힘을 만들어 준다.

'아쉽게도…….'

강만리는 설거지를 끝내고 삼삼오오 모여서 돌아오는 무사들을 둘러보며 속으로 중얼거렸다.

'다들 나이가 들었으니까.'

새로운 무공을 익혀 봤자 소용없다. 강해질 리가 없다.

좋은 무기를 쥐여 줘 봤자 돼지 목에 진주 목걸이인 셈이다. 외려 적에게 빼앗기기라도 하면 그야말로 죽 쒀서 개 주는 격이 된다.

결국 내공뿐이었다.

급격하게 쌓을 수 있는 내공. 무술 실력이 조금 떨어진다고 하더라도 일 갑자에 가까운 내공을 지녔다면 충분히 만회할 수 있었다.

가능한 일이었다. 강만리가 좋은 예였으니까.

"다들 첫 번째 마차로 오도록!"

양위가 마차 앞에 서서 무사들을 향해 크게 소리쳤다. 고굉도 함께 소리쳤다.

"게으름 피우다가 은혜를 입지 못하고 후회하는 일이 없도록 하라!"

북해빙궁과 흑룡방 무사들은 영문도 모른 채 어슬렁거리며 마차로 향했다. 막 설거지를 마친 무사들도 마찬가지였다.

'그래. 조금씩 더 강해지자. 우리 모두를 위해서.'

강만리는 그렇게 생각하며 주위를 둘러보다가, 문득 한 방향에 시선이 고정되었다.

그곳에는 요 며칠 내내 틈이 날 때마다, 아니 스스로 시간을 만들어서 칼을 휘두르던 담호가 있었다.

강만리는 잠시 담호를 지켜보다가 저도 모르게 불쑥 중얼거렸다.

"부럽군."

부러웠다. 진심으로 부러웠다.

꽤 오랜 시간 동안 지루할 정도로 탄탄하게 기초를 만들고 그 위에 지겨울 정도로 차근차근 실력을 쌓아 올리는가 싶더니, 어느 순간부터 담호는 급성장하기 시작했다.

솜이 물을 빨아들이는 것처럼 그는 배우는 족족 자신의 것으로 만들었다. 불과 하루 이틀 사이에, 가르친 사람이 깜짝 놀랄 정도의 숙련도와 숙달된 투로를 보여 주었다.

어쩌면 당연한 일이라 할 수 있었다.

몸이 완성되기 전의 어린 시절에는 아무리 배우고 익혀도 제대로 된 무공을 펼칠 수가 없었다. 본래 무공은 어른들을 위해 만들어졌고, 어른들이 만들었으니까.

키도 작고 힘도 약하고 체력도 부족한 열 살, 열두 살 꼬마들은 제대로 칼이나 검조차 휘두르기 벅찬 게 사실이었다.

그 벅찬 상황에서 포기하거나 체념하여 무기를 놓고 힘들고 고되기만 한 수련을 멈추느냐, 아니면 포기하지 않고 꾸준히 노력하느냐에 따라 미래가 달라진다.

구파일방이나 오대가문, 신주오대세가 같은 명문가는 이미 그런 과정을 겪어서 상승 고수가 된 선배나 부모, 형제를 비롯한 친인척이 즐비했다.

그들은 이제 갓 무공에 입문한 어린아이들이 포기하지 않고 단념하지 않도록 제대로 인도했다. 그 가르침에 따라 끝까지 수련에 집중한 아이들은 키가 커지고 몸무게가 늘고 체력이 좋아지면서, 즉 몸이 완성되는 순간 서너 계단을 훌쩍 뛰어넘는 급성장을 보여 준다.

그리하여 강호에 첫발을 디딜 나이, 즉 약관(弱冠) 무렵이 되면 이미 그들은 일류 이상의 무위를 지니게 되는 것이다. 명문 세가의 자제들이 강한 건 바로 그러한 연유에서였다.

담호는 그 명문 세가의 자제들이 걷는 길을 그대로 걷고 있었다.

담호의 곁에는 뛰어난 실력을 지닌 어른들이 즐비했다. 뛰어난 상승 무공도 선택해서 배울 수 있었다. 거기에 내공까지 높여 줄 준비마저 되었다.

어찌 부럽지 않겠는가.

'아니지.'

강만리는 고개를 흔들었다.

아무리 뛰어난 사부가 있고 상승 무공과 내공을 높여 줄 영약이 준비되어 있다 한들, 결국 마지막에는 담호 본인으로 귀결되었다.

담호가 화평장에 온 이후 지금껏 강만리는 그 조그맣던 아이가 얼마나 많은 노력을 했는지 잘 알고 있었다. 하루도 빠지지 않고 그 지겨운 마보를 섰으며, 모든 무공의 기초라 할 수 있는 삼재보법(三才步法)과 삼재검법(三才劍法), 그리고 영자팔식(永字八式)을 지겨울 정도로, 미련해 보일 때까지 쉬지 않고 연마했다.

즉, 담호가 고굉을 이기고 화평장의 침입자를 제압한 건 그의 부친이 잘나서가, 부친 담우천이 지름길을 가르쳐 주어서가 아니었다.

오로지 자신의 힘과 노력, 끈질긴 인내력, 불굴의 의지가 있었기에 가능했던 일이었다.

그리고 그것들은 지금 저렇게, 강만리조차 감탄하며 부러워할 정도의 상승 도법을 펼치는 밑바탕이 되어 준 것이다.

'내 아들도 저리 컸으면…….'

강만리는 내심 그렇게 중얼거리다가 얼른 고개를 흔들었다.

'아니다. 결국 무공은 타인을 죽이기 위한 수단일 뿐이다. 아정에게는 그런 살수를 가르쳐 주지 않아도 되는, 그런 세상이 되어야 한다.'

강만리는 입술을 깨물었다.

부디 건강과 호신을 위한 무공을 익히되, 사람을 죽이는 살수는 배우지 않았으면…….

2. 인자무적(仁者無敵)

"나약한 생각이네요."

화군악이 피식 웃으며 말하자, 강만리는 인상을 찌푸리며 그를 노려보았다.

하지만 화군악은 전혀 기죽지 않은 채 계속해서 할 말을 이어 나갔다.

"성인군자도 요즘 세상에는 칼 들고 다녀요. 내가 찌르지 않으면 내가 죽는 세상에, 살수를 펼치지 않는다는 게 가당키나 한 말입니까? 혹 모르겠네요. 아정이 천하제일인, 그것도 천하의 모든 무림인 위에 군림할 정도의 실력을 지닌 고수가 된다면 가능할지도요."

"그건 저도 군악의 말에 동의합니다."

장예추가 입을 열자, 화군악이 "거봐요." 하면서 가슴을 내밀었다.

'얄미운 녀석.'

강만리가 속으로 투덜거리고는 곧바로 반박했다.

"하지만 맹자(孟子)가 그리 말하지 않았느냐? 어진 자에게는 적이 없다고 말이다."

"그러니까 말입니다."

장예추는 모닥불을 응시한 채 차분한 어조로 말을 이었다.

"그 인자무적(仁者無敵)이라는 말도, 힘이 있고 실력이 있고 돈이 있어야만 가능한 말이거든요. 쥐뿔도 없이 어질기만 하면 누가 그걸 알아주겠습니까? 성질 더러운 불량배라도 만나면 동네북처럼 얻어맞겠죠."

강만리가 입을 삐끔거렸다. 장예추의 말을 반박하려 했지만 마땅한 논리가 떠오르지 않았기 때문이었다.

그러는 동안 장예추의 말은 계속해서 이어졌다.

"맹자가 인자무적 운운한 건 그 어진 자가 왕이기 때문에 가능했던 발언입니다. 왕은 이미 모든 걸 다 가진 자입니다. 돈과 권력, 힘과 병력, 그렇게 모든 걸 가진 왕이 어질다면 확실히 적이 없을 겁니다. 즉, 아까 군악이 말했던 것처럼 천상천하(天上天下) 유아독존(唯我獨尊) 정도의 실력이라면 확실히 인자무적이 될 수 있겠죠."

화군악이 끼어들었다.

"까놓고 말해서 지금 형님이 그 뭐냐? 인, 인자무적 하겠다고 하면, 오대가문이나 금적산이 '와아, 대단하시네요. 강 대협의 넓은 아량과 어짊에 감히 고개를 들 수가 없습니다.' 하면서 물러날까요? 아니잖아요? 그런 상황을 만들기 위해서는 결국 그들이 감히 고개를 쳐들 수 없을 정도의 권력과 무력이 있어야 한다는 겁니다."

"흠."

강만리는 마뜩잖은, 하지만 쉽게 대꾸할 말도 떠오르지

않는다는 표정을 지으며 팔짱을 꼈다.

"무슨 이야기를 그리 재밌게 하고 계십니까?"

낯선 부채를 살랑살랑 부치며 다가온 정유가 바닥에 앉으며 끼어들었다.

"재밌기는."

강만리가 투덜거렸다.

"양쪽으로 얻어맞던 중이었네. 그런데 왜? 불침번을 벌써 바꾼 건가?"

"네. 양 당주와 교대했습니다. 기존에 불침번을 섰던 무사들도 영약을 복용해야 한다고 해서 말입니다."

"흠, 그래서 일찍 교대했군그래. 별일은 없고?"

"시도 때도 없이 여기저기 출몰하는 늑대 떼만 뺀다면 별다른 기척은 없습니다."

"늑대 놈들."

화군악이 투덜거렸다.

우우!

그때, 마치 그 소리를 들은 것처럼 그리 멀리 떨어지지 않은 곳에서 늑대의 울음소리가 들려왔다. 그리고 대장의 신호에 따라 수십 마리가 한꺼번에 울부짖는 소리가 야영지의 공기를 후끈 달아오르게 했다.

그 늑대의 울부짖음을 들은 수십 필의 말들이 초조하고 불안한 듯 이리저리 움직이며 연신 투레질을 했다.

"영악한 놈들이라니까. 우리가 자기네들보다 강하다는 걸 아는지 가까이 접근하지는 않으면서, 계속 저렇게 주위를 돌아다니며 말들에게 겁을 주고 있잖아."

"그러니까. 그렇게 겁먹은 말들 중 몇 마리가 제풀에 놀라서 도망치게끔 만드는 계획인 거지. 두목이 누구인지는 모르겠지만 나름대로 머리를 굴릴 줄 안다니까."

화군악과 장예추가 고개를 끄덕이며 대화를 나눴다.

강만리도 가볍게 눈살을 찌푸렸다.

유주에 들어서면서부터 저 늑대 무리는 강만리 일행의 주변을 얼씬거렸고, 또 끈질기게 뒤를 쫓아왔다.

첫날 밤, 불침번을 서던 무사들이 모닥불 근처까지 다가온 늑대 몇 마리를 죽인 이후 늑대들은 두 번 다시 가까이 접근하지 않았다.

대략 오십 장가량의 거리를 두고 야영지 일대를 배회하며 저렇게 강만리 일행을 위협하고 있었다.

"좋게 생각한다면 말입니다."

문득 정유가 입을 열었다.

"우리의 또 다른 경비견(警備犬)이라고 생각해도 되지 않을까 싶습니다. 만약 누군가 우리를 노리고 접근한다면 저 늑대 무리들과 한바탕 소동을 일으켜야 할 테니까요."

"호오, 그거 나름대로 일리가 있는 말이네."

강만리는 고개를 끄덕였다.

"그러니까 늑대들이 갑자기 조용해지거나 혹은 반대로 시끄러워지면 문제가 생겼다는 의미가 되겠군."

"흠, 이이제이(以夷制夷)네요."

장예추의 말에 화군악이 얼굴을 찡그렸다.

"유식한 척 매번 문자 쓰지 말고 풀어서 말하라고."

"어려운 말도 아니잖아?"

"쳇. 그냥 알아듣기 쉽게 그렇게 말하면 되지, 이이제이니 인자무적이니 굳이 그런 문자를 쓸 필요가 없잖아?"

"아니, 그게 알아듣기 쉬우라고 그런 문자를 사용하는 건데……. 알겠다. 앞으로 네 앞에서는 되도록 자제하지."

장예추는 짜증을 내려다가 문득 말투를 바꿔 순순히 고개를 끄덕였다. 화군악이 부모 없이 시장터에서 홀로 자랐다는 사실을 뒤늦게 떠올렸던 까닭이었다.

분위기가 살짝 가라앉는다 싶었는지 강만리가 헛기침을 하며 자연스럽게 화제를 돌렸다.

"이 부채가 그 부채야?"

강만리의 애매한 질문에 정유는 빙긋 미소를 지으면서 부채를 흔들었다.

"네. 바로 그 부채입니다."

“흠, 보기에는 일반 철선(鐵扇)과 별반 달라 보이지 않는데. 뭐 특별한 거라도 있나? 단추를 누르면 슈슈슉, 암기가 발출한다거나.”

“세세하게 확인해 봤지만 아쉽게도 그런 기능은 없더군요.”

“이해가 가지 않네. 황궁보고에 있는 철선이 평범한 철선이라니 말이야.”

“언제 제가 평범하다고 했습니까?”

정유는 여전히 수수께끼 같은 미소를 머금은 채 부채를 접었다.

촤라라락!

날카로우면서도 맑은 소리가 일었다. 정유는 땔감으로 사용하려 준비한 나무토막을 들어 부채로 가볍게 내리쳤다.

나무토막이 툭 하며 반으로 잘리자, 정유는 어깨를 으쓱거리며 강만리를 돌아보았다.

“그게 뭐?”

강만리도 어깨를 으쓱거리며 되물었다.

“조금 괜찮은 철선이라면 다 그 정도 위력은 있잖아?”

전혀 놀랍거나 대수로운 일이 아니라는 얼굴이었다.

하지만 화군악과 장예추의 반응은 달랐다.

“호오, 확실히 평범하지 않네요.”

화군악이 탐난다는 표정을 감추지 못한 채 그리 말했다.

"다른 무기에도 실험해 보셨습니까?"

이건 장예추의 질문이었다.

정유가 고개를 끄덕이며 대답했다.

"검이나 칼은 물론 도끼로 갈라지더군."

"이야. 제가 한번 봐도 되겠습니까?"

"물론이네."

정유가 부채를 넘겨주자 화군악은 마른침을 꿀꺽 삼키며 부채를 좌르르 펼쳤다. 부챗살과 그의 눈빛이 신중하고 예리하게 빛났다.

"응? 왜? 뭔데?"

강만리는 당황한 표정으로 그렇게 물었다. 장예추와 화군악의 반응을 보건대 자신만 모르는 뭔가가 있는 게다. 그 불안함과 초조함이 강만리의 얼굴 가득 스며들었다.

언뜻 보면 일반 쥘부채, 섭선(摺扇)과 전혀 다를 바가 없었다. 부챗살의 끝이 뾰족해서 비수로 사용해도 될 것 같다는 생각이 들 정도, 그 외에는 평소 부채로 사용하다가 무기로도 이용할 수 있는 일반 철선과 크게 달라 보이지 않았다.

'젠장, 나만 물건 보는 눈이 없나?'

강만리가 속으로 그렇게 투덜거릴 때였다. 화군악이 고

개를 끄덕이며 입을 열었다.

"역시 평범한 쇠가 아니로군요. 이 묵색(墨色)의 갓대나 가볍지만 쇠보다 훨씬 단단한 느낌을 보면 역시 오단목(烏檀木)으로 만든 것 같습니다. 그리고 이건 역시 종이나 일반 비단이 아닌, 천잠사로 짠 천이겠죠?"

화군악이 부채 선면(扇面)을 매만지며 묻자 정유가 고개를 끄덕이며 말했다.

"나도 그리 생각하네."

'오단목?'

강만리는 고개를 갸웃거렸다.

3. 단순하고 무식한

갓대.

쥘부채의 양쪽에 대는 두꺼운 두 개의 대쪽을 가리켜 갓대, 겉대 혹은 변죽(邊竹)이라고 불렀다.

일반적으로 대나무를 사용하는데, 강호 무림에서는 대나무 대신 쇠를 사용하여 무기로도 쓸 수 있게 만드는 것이 일반적이었다.

아무래도 정유가 황궁보고에서 가지고 나온 섭선은 그 갓대를 오단목이라는 것으로 만든 모양이었다.

사실 강호 무림에는 쇠보다 강하고 질기면서도 가벼운 나무들이 있었다.

다만 워낙 희귀하고 쉽게 사람들의 눈에 띄지 않는 심산유곡에서만 자라기에, 나무 한 근의 가격이 금 한 근에 이른다고 알려져 있을 정도로 귀하고 값비쌌다. 바로 오단목이 그중 하나였다.

오단목은 천하에 드문 보석과도 같은 나무였다. 쇠보다 뛰어난 강도를 지녔으면서도 대나무처럼 가볍게 연성(軟性)이 좋아서, 제대로 된 장인을 만나면 채찍으로도 사용할 수 있다고 알려졌다.

"나도 이 정도는 아니지만 진짜 좋은 섭선을 선물받은 적이 있었는데…… 어디로 갔는지 모르겠어요."

화군악은 아쉬워하며 정유에게 부채를 건넸다. 정유는 다시 부채를 펼치고 우아하게 바람을 부치기 시작했다. 강만리가 콧잔등을 찌푸리며 물었다.

"그래서, 그 부채 이름이 뭔데?"

"글쎄요?"

정유는 빙긋 웃으며 말했다.

"선두에도 따로 글이 새겨져 있지 않고 사북에 달린 고리에도 별다른 문양이 없으니, 그 누가 사용하던 물건인지 이름은 어찌 되는지 전혀 알 도리가 없습니다. 그저 제 마음대로 여의영지선(如意靈芝扇)이라고 이름을 붙여

보았습니다."

"그 갓대 장식이 영지라서?"

"단순하죠? 하하하."

정유는 유쾌하게 웃었다. 확실히 그 여의영지선이 마음에 쏙 든 모양이었다.

강만리는 왠지 모를 심술에 불퉁하게 한마디를 던졌다.

"어찌 다 신외지물(身外之物)인 거야."

정유는 부채를 접어 소매 춤에 넣으며 말했다.

"형님처럼 내공이 절륜하다면야 이런 무기가 무슨 상관이 있겠습니까?"

정유가 부럽다는 듯이 말하자 강만리는 이내 머쓱해졌다.

"내공만 많으면 뭐하나? 제대로 써먹지도 못하는데. 나는 자네들이 정말 부럽네. 자네들 실력의 절반 정도만 되더라도 소원이 없겠어."

"그야 어쩔 수 없잖아요? 무공을 수련해 온 시간이 다른데 말이죠."

화군악이 웃으며 끼어들었다.

"우리도 여기까지 오려고 진짜 죽도록 노력했거든요. 사부가 끔찍하게 미울 때도 있었어요. 무공을 가르칠 때에는 정말 지독하고 엄하게 대했거든요."

"나도 알아, 네가 죽도록 고생해서 실력을 쌓았다는 것 정도는. 하지만 나는 죽도록 고생하고 수련해서 쌓으려고 해도…… 이제는 몸도 마음도 머리도 다 따라가지를 못하니까."

"하하, 그러면서도 끝끝내 무공 비급을 고르셨잖아요?"

화군악의 말에 강만리는 엉덩이를 긁적이며 쑥스러운 표정을 지었다. 화군악이 짓궂은 표정을 지으며 말을 이었다.

"지금껏 배운 무공으로는 부족하셨나 봐요? 몸과 마음과 머리가 따라가지 못하는데도 말입니다."

"그래서 새로 배우고자 하는 게다. 어떻게든 살아남기 위해서 말이지. 게다가 마침 내게 딱 어울리는 무공을 찾았거든. 아주 단순하면서 무식한 무공 말이지."

"흠, 아주 단순하면서 무식한 무공이라니까 더 궁금해집니다. 이제 말씀해 주셔도 되지 않겠습니까?"

정유가 물었다. 강만리는 진지한 얼굴로 대답했다.

"괜히 짓궂은 마음으로 가르쳐 주지 않는 게 아니다. 나중에, 제대로 익히게 되면 그때 말해 주마. 자랑스레 밝혀 놓고서 제대로 익히지도 못하면 그 무슨 창피겠냐?"

차분한 거절이었고 정유는 알겠다는 듯이 고개를 끄덕였다.

하지만 화군악은 가르쳐 달라며 끈질기게 졸랐고, 강만리는 결국 견디다 못해 자리에서 벌떡 일어났다. 그는 짐짓 크게 기지개를 켜며 말했다.

"아함. 너무 졸려서 안 되겠다. 먼저 들어가서 자마. 그럼 다들 내일 보자."

"형님!"

강만리는 화군악의 말을 듣지 못한 척 서둘러 모닥불을 떠났다.

"쳇. 체구에 안 어울리게 빼시기는."

화군악은 그 뒷모습을 쳐다보며 혀를 차다가 호기심 가득한 얼굴로 장예추와 정유를 둘러보며 입을 열었다.

"그나저나 진짜 무슨 무공 비급을 가지고 나왔는지 다들 몰라요?"

장예추와 정유는 고개를 끄덕였다. 정유가 턱을 매만지며 입을 열었다.

"단순하고 무식한 무공이 뭐가 있을까?"

장예추가 진지한 얼굴로 말했다.

"글쎄요. 모르겠습니다. 애당초 황궁보고에 있는 무공비급 중에서 단순하고 무식한 무공이 있을 리가 없으니까요."

화군악이 눈빛을 반짝이며 말했다.

"혹 철두공(鐵頭功) 같은 거려나?"

철두공은 머리를 단련시켜 쇠처럼 강력하고 단단하게 만드는 무공이었다. 그 설명만 보자면 확실히 단순하고 무식해 보이는 무공이었다.

"글쎄. 나는 조금 다른 생각인데. 아까 형님이 '어떻게든 살아남기 위해서'라고 하셨잖아? 어쩌면 외가기공(外家氣功)이 아닐까? 금종조(金鍾罩)나 철포삼(鐵布衫) 같은."

금종조나 철포삼 같은 무공은 신체를 단단하게 수련하여 도검불침(刀劍不侵)의 육체를 만드는 수법이었으니, 어떻게든 살아남기 위해서라면 그보다 더 좋은 무공은 없었다.

"저는 외려 내가기공(內家氣功) 쪽의 무공이 아닐까 생각합니다."

장예추가 말했다.

"일전에 강 형님이 한탄하는 걸 엿들은 적이 있었거든요. 자신의 막강한 내공을 제대로 사용하는 방법을 모르고 있다고 말이죠."

"아, 아까도 그런 식의 이야기를 하시기는 했지."

"그러니까."

장예추는 화군악의 말에 고개를 끄덕이며 말을 이었다.

"그 막강한 내공을 자유자재로 다스리고 제어하는 무공을 찾으신 게 아닐까 싶어."

"하지만 그런 내가기공 중에서 단순하고 무식한 무공이 있을 리가 없잖아?"

"그러니까."

"뭔 그러니까야?"

"그러니까."

정유는 웃는 낯으로 두 사람이 투덕거리는 모습을 지켜보다가 문득 정색했다. 그의 얼굴에서 미소가 사라졌다. 동시에 그의 눈빛이 가늘어지고 살기가 스며들었다.

그는 나지막한 소리로 중얼거리듯 말했다.

"소리가 사라졌다."

"응?"

"네?"

화군악과 장예추가 그를 돌아보았다.

"늑대 소리 말이다."

정유가 어두운 주변을 둘러보며 말했다.

"방금까지 들려오던 늑대 소리가 모두 사라졌어. 누군가, 무언가가 우리를 찾아온 게야."

일순 화군악과 장예추도 표정이 굳어졌다.

아닌 게 아니라 조금 전까지 시도 때도 없이 울어 대던 늑대의 소리가 전혀 들려오지 않았다. 마치 수백 장 밖으로 도망친 것처럼, 혹은 모조리 전멸당한 것처럼.

"비적단일까?"

두고 보자면서 반드시 다시 찾아와 복수하겠다던 그 비적단일까.

"설마 금해가 놈들이 벌써?"

금해가를 비롯한 오대가문의 정보망이라면 강만리 일행이 유주를 지나가고 있다는 것 정도는 금세 알아냈을 것이다. 그들의 기습이라면…….

"강 형님께 보고해야겠지."

화군악이 자리에서 일어났다.

"나는 양 당주를 만나러 가겠네."

정유가 뒤이어 일어났다.

"그럼 나는 마차에 가보겠습니다. 지금 가장 취약한 곳이니까요."

장예추가 일어나며 말했다.

세 사람은 곧 모닥불을 떠나 세 방향으로 갈라졌다.

모닥불에 한 줄기 바람이 후텁지근한 공기를 휘감으며 들이닥쳤다. 모닥불이 크게 일렁였지만 누구 하나 지켜보는 이가 없었다.

달빛조차 없는 짙은 어둠에 가려진 황무지.

그 저편 어딘가로부터 잔악하고 흉포한 살기가 흘러나오고 있었다.

7장.

불길한 밤이다

"살수도 살수 나름이다."
현명군이 나무라듯 말했다.
"만약 은자림의 십이현자나 대자객교의 십팔대자객(十八大刺客),
살막의 살왕(殺王)들이 나섰다면……
그때는 우리도 목숨을 걸어야 할 테니까."

불길한 밤이다

1. 울음소리가 사라졌다

회주와 접경 지역의 유주는 비록 황야라 하더라도, 저 변방 끝자락 유주와는 달리 물줄기도 있고 물줄기를 따라 풀과 덤불숲이 있었으며 풀을 먹이로 삼는 짐승들과 다시 그 짐승들을 노리는 맹수들이 있었다. 그만큼 유주의 땅은 크고 광활했다.

이곳 회주와 유주 일대의 최대 포식자는 늑대였다.

회색 늑대. 회랑(灰狼), 장랑(藏狼), 혹은 시랑(豺狼)이라 불리는 늑대는 보통 부부 한 쌍이 우두머리가 되어서 새끼들과 함께 패를 만들어 함께 사냥하고 생활한다.

늑대는 강했다. 사슴이나 멧돼지, 말이나 소는 물론 심지어 곰과 호랑이까지 죽일 정도로 강했다.

늑대는 교활했다. 위험을 무릅쓰고 사냥감을 죽이는 것보다는 일정한 피해를 입힌 다음 뒤로 물러나, 사냥감이 지쳐 쓰러지거나 혹은 피를 너무 많이 흘려 움직이지 못할 때까지 인내심 깊게 기다린다.

늑대는 영리하고 학습력이 뛰어났다. 한 번 덫에 걸리면 두 번 다시 덫에 걸리지 않았다. 함정을 피해 가거나 덫을 망가뜨리기도 했으며, 외려 사냥감이나 사냥꾼을 함정에 몰아 죽이기도 했다.

그런 일반적인 회색 늑대에 비해서도 이곳 유주, 지금 강만리 일행을 뒤쫓고 있는 늑대의 무리는 훨씬 더 강하고 교활하며 영리했다.

또한 열 마리 내외의 숫자로 무리를 짓는 일반적인 늑대들과는 달리, 지금의 무리는 대략 육칠십 마리에 해당하는 거대한 규모의 집단을 형성하고 있었다.

한 가족이 아닌, 서로 다른 가족의 무리를 영입하고 포섭하여서 만들어진 무리일 가능성이 매우 컸다.

우우우우!

우두머리 늑대가 외치면 그 뒤를 따라 중간급 늑대들이 호응하듯 울부짖는다.

우우우우!

우우우우!

그 귀신의 호곡성(號哭聲)과 같은 소리는 백여 장 거리를 두고 메아리치듯 들려왔으며, 그때마다 강만리 일행의 말들은 소스라치게 놀라거나 앞발을 높이 들며 몸부림을 쳤다.

한 차례 기습을 펼치다가 동료 몇 마리가 목숨을 잃은 이후, 우두머리 늑대는 쉽게 접근하지 않았다.

그렇다고 포기하지도 않았다. 늑대들은 거리를 둔 채 끈질기고 집요하게 강만리 일행의 뒤를 쫓았다.

늑대는 하루에 백 리 이상의 행군을 하기도 한다. 그 타고난 지구력과 강인한 인내심, 그리고 한 번 목표로 삼은 사냥감은 반드시 해치우는 집요함으로 늑대는 이곳 유주의 제일가는 포식자가 될 수 있었다.

그날 밤.

그 강인하고 교활하며 집요한 늑대의 울음소리가 거짓말처럼 사라졌다.

* * *

불길한 밤이다.

달은 떠 있으나 잿빛 구름에 가려진 그 빛은 밝지 않고 밤공기는 무겁게 가라앉은 밤이다.

더는 늑대의 울음소리도 들려오지 않는 밤이다.

제법 멀리 떨어진 개울가의 물줄기 흐르는 소리가 들려올 정도로 뾰족하게 감각이 일어서 있는 밤이다.

가끔 불어오는 흙먼지 가득 실은 밤바람에 피부가 끈적이는 밤이다.

밤공기가 축축한 밤이다. 달빛 대신, 별빛 대신 희미하게 젖은 물빛이 사방 가득 내리기 시작한 밤이다.

어쩌면 내일은 비가 내릴지도 몰랐다.

화군악은 말들이 모여 있는 곳으로 달려갔다. 주변에 고삐를 묶어 둘 만한 나무가 없는 까닭에, 줄을 길게 늘어뜨려 땅바닥에 박아 둔 상태로 말들이 모여 있었다.

그리고 삼 장가량 떨어진 곳에 강만리가 홀로 누워 잠들어 있었다.

화군악은 소리 없이 훌쩍 몸을 날려 강만리의 옆에 내려섰다. 잠든 줄 알았던 강만리가 반사적으로 주먹을 휘두르려는 순간, 화군악이 입을 열었다.

"접니다, 형님."

강만리는 주먹을 멈추고 눈을 떴다. 그는 잠기운이 눈곱처럼 덕지덕지 껴 있는 눈빛으로 화군악을 쳐다보며 짜증스레 말했다.

"왜?"

화군악이 차분하게 대답했다.

"적의 기습입니다."

강만리의 표정이 달라졌다. 그는 순식간에 잠이 사라진 눈빛으로 사방을 둘러보며 자리에서 일어나 앉았다.

화군악이 설명했다.

"늑대의 울음소리가 들리지 않습니다."

"그렇군."

강만리는 고개를 끄덕이며 물었다.

"적들을 발견하지는 못했고?"

"네. 다들 이목을 집중했지만 근처 백여 장 내에는 아무런 기척도 느끼지 못했습니다."

화군악과 장예추는 이미 초절정의 고수였다. 전력을 기울인 그들이 아무것도 발견하지 못했다면 확실히 인근 주변에는 아무것도 없는 것이다.

강만리는 가만히 주위를 둘러보았다.

첫 번째 마차의 실내 불은 꺼져 있었다. 그 마차에는 화평장의 여인들과 아이들이 모여 잠자고 있었다.

두 번째 마차에는 아직도 화평장 무사들이 삼삼오오 모여서 자신들의 차례를 기다리는 중이었다. 이미 설명을 들었는지, 수십 년 내공을 늘일 수 있다는 기대와 희망에 그들의 눈빛이 반짝이고 있었다.

"담 형님은?"

"첫 번째 마차 마부석에서 주무시는 중입니다."

"깨워서 모닥불 쪽으로 와라. 양 당주에게도 연락을 취하고."

"마차에는 예추가 갔습니다. 그리고 정 형님이 양 당주를 만나고 있을 겁니다."

"그렇군."

강만리는 끄응, 하며 몸을 일으켜 세웠다. 좌우로 허리를 돌리자 여기저기에서 우두둑 소리가 일었다.

역시 나이가 든 게다. 아무것도 깔지 않은 땅바닥에서의 야숙은 확실히 불편할 수밖에 없었다.

강만리는 천천히 팔을 돌리고 목을 꺾으면서 입을 열었다.

"누구인지는 모르고?"

"몇 명인지도 모릅니다."

화군악은 신중하게 말했다.

"어쩌면 적이 나타난 게 아니라, 그저 늑대 무리가 우리를 포기하고 이동한 것일 수도 있습니다."

"그건 아닐 거야."

차례차례 몸을 푼 강만리는 어슬렁거리며 모닥불로 이동했다.

"요 며칠 늑대들을 지켜본 결과, 놈들은 절대 우리를 포기하지 않아. 우리가 제풀에 지칠 때까지 끈질기게 쫓아오고 으르렁거리고 틈을 노릴 놈들이야. 분명 놈들이 물러난 데에는 그만한 이유가 있어."

강만리가 그렇게 말할 때였다. 한 가닥 바람과 함께 담우천이 허공을 날아와 표표히 내려섰다.

"예추는요?"

강만리의 물음에 담우천은 담담한 어조로 대답했다.

"마차 주변을 지키겠다더군."

"그럼 식구들 걱정은 하지 않아도 될 것 같고……."

"공기가 심상치 않군."

"네?"

"끈적하게 피부에 달라붙는 공기야. 아무래도 내일 비가 올 것 같아."

"네?"

강만리는 어이가 없다는 표정으로 담우천을 바라보았다.

지금 이 야영지 주변에는 정체를 알 수 없는 무언가가 어둠 속에 숨어 있었다. 그런데 한가하게 내일 비가 내릴 것 같다는 이야기를 하는 담우천의 저 배짱에 강만리는 입이 다물어지지 않았다.

담우천은 거궐을 품에 안은 채 계속해서 무덤덤한 어조로 말을 이어 나갔다.

"비가 오면 주변 모든 흔적이 씻겨 나가지. 소리도 기척도 빗소리에 가려지고. 그야말로 기습하기에는 더없이 좋은 날씨인 게다."

"아!"

강만리는 그제야 왜 담우천이 심상치 않은 날씨라고 말했는지 눈치챈 듯 크게 고개를 끄덕였다.

"그렇군요. 그럼 오늘보다 내일 놈들이 움직일 확률이 높겠군요."

"그렇지."

담우천은 힐끗 어둠 한구석을 바라보며 말했다.

"기척을 숨기는 재주가 있고, 흔적을 남기지 않는 훈련을 제대로 받은 자들이다. 어둠에 동화하여 한 몸이 될 줄 아는 자들이지. 즉 살수, 그것도 상당한 수준에 이른 살수들인 것 같다."

동류라서 그런 걸까.

어린 시절부터 암살과 기습, 잠입의 훈련을 받아 왔던 담우천은 마부석에서 이곳 모닥불 근처까지 날아오는 동안, 이 야영지 일대에 숨어 있는 자들의 정체를 알아차린 듯했다.

"살수라니요?"

그렇게 묻던 강만리는 문득 인상을 찡그렸다.

"설마 은자림인가?"

강만리는 황궁에서 환관으로 변장한 은자림의 자객을 상대한 적이 있었다. 당시 은자림의 자객은 독을 바른 비수로 강만리를 암습하려다가 실패, 스스로 산골독을 먹고 자결했다.

어쩌면 그 실패를 갚아 주기 위해서 새로운 자객들을 보낸 것인지 모른다.

2. 투사(鬪士)보다는 엽사(獵師)

"상대가 은자림이라면 더 골치가 아픈데."

담우천이 중얼거렸다. 강만리가 의아한 표정을 지으며 물었다.

"왜죠?"

다른 건 몰라도 강호에 관한 상식은 아직 턱없이 부족한 강만리였다. 화군악이 어린아이에게 설명하듯 천천히 말했다.

"은자림은 자유자재로 독을 사용하거든요."

"음."

"게다가 워낙 변장과 속임수에 능해서 마음 턱 놓고 있다가 당하는 경우가 대부분이죠. 그리고 무엇보다 은자림의 자객들은 살기를 완벽하게 감출 줄 알고 호흡을 제대로 숨길 줄 알거든요."

"흠."

"전혀 무림인 같지 않아 보이는 자들이 순박한 미소를

짓고 다가와 등에 극독이 묻은 칼침을 놓고 사라지죠. 그게 은자림 특유의 살인 방법이라고 들었어요."

화군악은 어깨를 으쓱거리며 말을 이었다.

"하지만 다행히 이곳 유주는 인적 드문 곳이라 놈들의 변장이나 속임수는 그리 신경 쓰지 않아도 될 것 같습니다."

"그럼 독만 조심하면 되겠군."

"네. 우선 냇가의 물부터 신중하게 사용해야 합니다. 물론 흐르는 물에 하독하는 건 거의 불가능한 일이지만, 그래도 상대는 은자림이니까요."

화군악은 힐끗 밤하늘을 올려다보며 계속해서 말했다.

"어쩌면 쏟아지는 빗물 사이에도 독이 스며 있을지 모르니까요."

하늘에서 내리는 빗물에 독이 있다니.

강만리는 저도 모르게 부르르 몸을 떨었다.

정면으로 부딪쳐서 싸우는 건 자신 있었다. 상대가 누구이든 밀리지 않을 자신이 있었다.

그러나 암습과 독은 달랐다. 무공을 전혀 모르는 자가 초절정의 고수를 죽일 수 있는 방법이 바로 암습과 독이었으니까.

게다가 강만리들에게는 반드시 지켜야 할 식구들이 있었다. 심지어 무공을 모르고, 잠시도 가만있지 않는 어린

꼬마들을 지켜 낼 생각을 하면 벌써부터 머리가 지끈거릴 지경이었다.

아무래도 생각보다 은자림을 상대하기가 훨씬 더 힘들 것 같다는 예감이 들었다.

"반드시 은자림일 거라고는 생각하지 말자."

문득 담우천이 말했다.

"은자림으로 국한하면 시야가 좁아질 수가 있으니까."

적절한 경고였다.

너무 독에만 신경 쓰다 보면 뒤통수를 향해 날아드는 또 다른 암기나 화살들을 놓칠 수도 있었다.

보다 시야를 넓히고 모든 가능성을 다 열어 놓고 적을 맞이할 준비를 해야 했다. 어쨌든 강만리들의 적은 은자림 뿐만이 아니었으니까.

그때, 불침번을 서던 양위가 정유와 함께 모닥불로 달려왔다. 양위는 인사조차 할 시간이 없다는 듯 빠른 어조로 말했다.

"주변 오십여 장 인근은 샅샅이 뒤졌으나 아무런 흔적도 기척도 발견하지 못했습니다."

정유가 말을 받았다.

"경비를 더 강화해야 할 것 같습니다. 지금의 이인(二人) 일조(一組)에서 사인(四人) 일조로 바꾸고 두 겹의 경계망을 펼치는 게 좋을 것 같습니다."

강만리가 눈살을 찌푸렸다.

"그렇게 하면 화평장 모든 무사가 한꺼번에 불침번을 서야 하는데? 교대 없이 하룻밤 내내 제대로 경비를 설 수 있을까?"

"우리가 도와주면 됩니다. 우리가 경계망 이곳저곳을 돌아다니면서 경비조들이 짬짬이 쉴 시간을 벌어 주면 됩니다."

"흠."

엉덩이를 긁적이며 잠시 생각하던 강만리가 고개를 저으며 말했다.

"아니, 그건 역시 아니다."

"네? 아니라니요?"

"반대로 모든 경계를 풀자. 지금 경계를 서고 있는 무사들을 모두 불러 모아 마차와 말들만 지키도록 하는 거다."

"아……."

정유는 뭔가 깨달았다는 듯 말했다.

"무사들의 능력으로는 적의 존재를 확인할 수 없는 데다가 자칫 큰 피해를 입을 수 있다는 거군요."

"그렇지. 그래서……."

"그러니까 무사들은 안으로 불러 모으고 우리가 직접 밖으로 나가 경비를 서며 적의 기척을 찾자 이거죠? 아주 좋은 계획입니다."

"아닌데."

"네? 아니라고요?"

"그래. 우리도 이 모닥불을 떠나지 않을 거야."

"네?"

정유는 물론 화군악과 장예추, 그리고 양위도 의외라는 듯 눈을 커다랗게 떴다. 반면 담우천은 여전히 무심한 눈빛으로 어둠 한구석을 가만히 응시하고 있었다.

강만리는 차분하게 이야기했다.

"상대가 누구인지, 어떤 방법을 사용하는 자들인지 전혀 모르는 이상 굳이 우리의 병력을 분산시켜서 스스로 약화할 필요는 없다고 생각해. 차라리 모든 병력을 한곳으로 집중시킨 다음, 저들이 우리 쪽으로 움직이도록 하는 게 훨씬 나은 방법 같거든."

"흐음."

"으음……."

정유와 화군악은 턱과 코를 매만지며 상념에 젖었다. 양위는 눈을 휘둥그레 뜬 채 강만리를 쳐다보았다.

강만리는 계속해서 말을 이어 나갔다.

"게다가 우리가 경계를 풀고 경비를 불러들이면 놈들은 우리에게 무슨 꿍꿍이가 있나 보구나, 하고 되려 쉽게 움직이지 못할 거야. 비록 내일 비가 올지 몰라도 지금 우리에게는 이런 대치 상황이 길어지면 길어질수록 좋으니까."

"그건 또 왜…… 아, 그렇죠! 무사들의 내공 말이군요."

"그래. 이제 무사들의 기맥의 크기와 단전의 양을 확인하는 작업을 끝냈으니까. 내일이면 그에 알맞게 영약을 복용하게 될 거야. 그리고 그게 자신의 내공으로 바뀌고, 높아진 내공을 자유자재로 운용하기까지는 최소한 하루 이틀은 더 걸리겠지. 그런 후에 놈들과 싸우게 된다면…… 그때는 놈들이 우리 무사들의 좋은 훈련 상대가 될 게야."

"흠, 그렇다면 최대한 저들과의 전면전을 늦춰야겠군요."

"그렇지. 그런 의미에서, 그리고 놈들의 경계심을 최대한 끌어올리고 다음 행동을 주저하게 만들기 위해서…… 우리가 먼저 암습을 펼치는 것도 나쁘지 않다고 생각해."

"그렇군요. 우리가 기습을 감행하면 외려 놈들이 수세에 몰리게 되니까요."

"최선의 수비는 공격이다, 이거네요."

"그래. 그리고 우리에게는 그 선봉(先鋒)을 맡아 줄 최적의 사냥꾼들이 있으니까."

강만리는 그렇게 말하며 담우천을 돌아보았다. 물론 강만리가 말한 최적의 사냥꾼들 중에는 이 자리에 없는 장예추도 포함되어 있었다.

화군악이 어깨를 으쓱거리며 말했다.

"저도 나름대로 상당한 수준의 사냥꾼이라고 생각하는데 말입니다."

"아니. 너는 사냥꾼, 엽사(獵師)가 아니라 싸움꾼, 즉 투사(鬪士)다. 정면으로 맞붙어서 이리저리 날뛰며 싸우는 건 네가 최적화되어 있지."

"쳇. 투사보다는 엽사라는 어감이 더 좋은데."

"참아 둬. 나중에 진짜 네가 크게 활약할 때가 올 테니까."

"뭐, 그때까지 담 형님과 예추에게 맡겨 두기로 하죠. 하기야 주인공은 나중에 등장하는 법이니까요."

"그럼 부탁해도 되겠습니까?"

강만리는 담우천을 돌아보며 물었다. 담우천이 무심한 어조로 되물었다.

"다 죽여도 될까?"

"와아."

화군악이 저도 모르게 입을 벌렸다. 그게 가능한지 그렇지 않은지는 차치하고, 무엇보다 저 자신감과 배짱이 그저 놀라울 따름이었다.

"가능하다면 그것도 나쁘지 않죠."

강만리가 미소를 지으며 말했다.

"사실 예추와 둘이라면 가능할 것도 같고요."

"해 보면 알겠지."

담우천은 고개를 끄덕이며 말했다.
"그럼 오늘은 푹 쉬자."
"왜요? 지금 당장 움직이지 않으시고요?"
화군악의 물음에 담우천인 낮은 목소리로 대답했다.
"놈들이 우리를 지켜보고 있으니까."
"네?"
"지금 놈들은 어둠 속에 숨어 있고 우리는 이 모닥불 앞에 환히 모습을 드러낸 상황이다. 그런데 나와 예추가 움직이면 당연히 놈들은 경계하고 더욱 어둠 속 깊이 숨어들겠지. 그러면 아무리 나라 할지라도 놈들을 쉽게 찾아낼 수가 없을 거야."
담우천은 힐끗 하늘을 올려다보며 말을 이었다.
"내일은 비가 올 테고, 비는 놈들과 내 기척을 공평하게 지워 줄 거다. 우리가 움직이는 건 그때다."
"그렇군요."
화군악이 알겠다는 듯 고개를 끄덕였다. 강만리는 양위를 돌아보며 말했다.
"그럼 불침번들을 모두 불러 모으시오. 마차와 말 주변, 십여 장 일대로 축소해서 경계망을 치게 하고 삼 교대로 불침번을 운용하시오."
"그리하겠습니다."
지시를 받은 양위는 곧장 어둠 속으로 달려갔다.

"그럼."

담우천이 말했다.

"나는 가서 예추와 다음 행동에 대해서 논의하겠네."

"그러시죠, 형님. 아, 잠깐만요."

강만리는 막 몸을 돌려 마차 쪽으로 향하던 담우천을 붙잡아 세웠다. 담우천이 무슨 일이냐는 듯 돌아보자 강만리는 미소를 지운 얼굴로 당부했다.

"조심하셔야 합니다."

담우천은 희미하게 웃었다.

"그러지."

그는 다시 마차를 향해 걸음을 옮겼다.

"정말 대단한 자신감이라니까요."

화군악이 그 뒷모습을 지켜보며 부럽다는 투로 중얼거렸다.

"나도 자신감 하나만큼은 누구에게도 뒤지지 않는다고 자부하지만 담 형님만큼은 이길 수가 없네요."

"뭐, 그만한 실력과 실적이 있잖아. 그리고……."

강만리는 당연하다는 듯이 말했다.

"형님에게 뒤를 잡힌다는 건 곧 이미 죽은 목숨이라는 의미이니까."

3. 내일은 비가 오겠군

경비 무사와 불침번들이 모두 돌아왔다. 곧 그들은 정유와 양위의 지휘 아래 마차와 말들을 중심으로 조그만 원진(圓陣)을 펼쳤다. 맞은편에서 떠드는 소리가 들릴 정도로 아주 조그마한 원진이었다.

그곳에서 약 백여 장 떨어진 우거진 덤불 수풀. 늑대 새끼처럼 덤불 속에 몸을 숨긴 채 모닥불 근처 상황을 지켜보던 자들이 아주 낮은 목소리로 대화를 나누기 시작했다.

"들킨 걸까?"

"들켰겠지. 그자가 우리를 쳐다보았으니까."

"확실한 건가? 우리를 쳐다본 게?"

"나는 그렇게 생각하는데."

"너무 과민한 것 아닌가? 어둠 속에 가려져 있어서 결코 우리를 볼 수 없었을 텐데. 완벽하게 호흡과 기척을 숨긴 우리를 말이지."

"하지만 그자가 이곳으로 시선을 돌리는 순간 나도 모르게 가슴이 철렁 내려앉고 등골이 오싹해졌네."

"흠, 역시 장소를 이동해야겠군."

"하지만 저들의 움직임을 보면 우리의 존재를 확실하게 알아차린 것 같지는 않네. 조금 더 지켜보세."

“나도 그리 생각하네. 만약 우리의 존재를 눈치챘다면 더 두텁고 단단하게 경계망을 보강했을 것이야. 지금처럼 경계망을 후퇴하는 대신에 말이지.”

“그렇다면 경계망을 모닥불 쪽으로 후퇴한 이유는 뭐지?”

“글쎄. 모르겠는데.”

“나도 그게 불안하더군.”

강만리의 의도를 알아차리지 못한 그들은 꽤 당황한 듯 보였다. 내놓은 의견이 서로 다르고 쉽게 중지(衆智)가 하나로 모이지 않았다.

상대방의 행동에 대한 해석이 그렇게 각자 다르니, 자신들의 차후 계획에 차질이 생기는 건 당연한 일이었다.

어두운 밤을 타서 기습해야 할지, 아니면 조금 더 여유를 가지고 틈과 기회를 엿보는 게 나은 건지 갈피를 잡을 수가 없었다.

“공기가 끈적거리는 걸 보니 아무래도 내일 비가 올 것 같네. 비가 오면 움직이기가 더 쉽지 않겠나?”

“그렇다면 역시 조금 더 지켜보는 게 나을 것 같군. 비가 얼마나 쏟아지는지, 며칠이나 계속되는지에 따라서 유연하게 계획을 짜는 것도 나쁘지 않을 것 같네.”

“어쨌든 아직 전력(全力)이 모이지 않았으니까. 아무래도 열두 명보다는 서른여섯 명이 모두 있을 때, 보다 쉽게 놈들을 해치울 수 있겠지."

"좋아. 그럼 오늘 당장 움직이지 말고 전력이 모일 때까지 기다리도록 하세."

겨우 의견이 하나로 모였다. 그들은 다시 입을 다물고 모닥불 쪽의 움직임에 이목을 집중했다. 모닥불이 조금씩 사위어 가고 있었다.

* * *

"재미있군."

북방흑제 현명군(玄冥君)이 팔짱을 끼며 중얼거렸다.

"놈들을 노리는 자가 우리 말고 세 무리나 되다니……. 도대체 지금껏 무슨 짓을 하고 돌아다닌 건지 궁금하군."

"어떻게 할까요?"

그의 앞에 고개를 숙이고 있던 자가 입을 열었다.

"거치적거리지 않도록 모두 정리해 둘까요?"

"됐다."

현명군은 고개를 저었다.

"거치적거리지도 않거니와, 무엇보다 놈들을 정리하는 게 생각보다 쉬울 것 같지는 않다."

고개를 숙이고 있던 자는 살짝 자존심이 상한 것 같은 목소리로 말했다.

"이미 서방과 중앙이 합류했습니다. 그런데도 쉽지 않다고 생각하시는 건지요."

"세 무리 모두 상당한 실력자들이니까. 게다가 그들 역시 원군을 기다리고 있는 모양이다. 괜히 건드렸다가 불똥이 우리 쪽으로 튀게 할 필요는 없지 않겠느냐?"

"하지만 자칫 그들 세 무리에게 놈들을 빼앗길 수도 있잖습니까?"

"그럴 리도 없다."

현명군은 냉정하게 말했다.

"비록 실력자들이라고는 하지만 무림오적과 그의 수하들을 모두 해치울 정도의 거물들은 아니다. 아마 양패구상하기에도 벅차겠지. 그리고 우리는 그들보다 조금 천천히 움직이는 게 훨씬 낫다."

"아, 어부지리입니까?"

"그런 게지. 보고서에 적힌 대로의 무위라면, 무림오적은 저들 세 무리와 싸워 당연히 이길 것이다. 하지만 무림오적도 적잖은 피해를 보아야 할 테고, 그때 우리가 나서면 되는 게다."

고개를 숙인 자는 마땅치 않은 기색이었다. 자신들의 실력과 무위와 병력을 가지고서도, 겁쟁이처럼 혹은 여우처럼 뒤로 물러나 이런저런 계산을 하고 손익을 따지는 게 마음에 들지 않는 듯했다.

그런 기색을 눈치챘을까. 현명군은 문득 코웃음을 치며 입을 열었다.

"구망군과 축융군이 왜 죽었을까?"

"그건……."

"자신의 힘을, 무력을 과신했기 때문이지. 사천당문 따위가 감히 자신들을 어찌할 수 있겠느냐 하면서 오만했기 때문이지."

현명군은 어둠 속에 잠겨 있는 덤불숲에서 시선을 돌려 모닥불 쪽을 바라보며 말을 이었다.

"호랑이는 토끼를 잡을 때도 전력을 다하는 법이다. 그리고 전력이란 무공뿐만을 말하는 게 아니다. 머리를 이용하여 제대로 계획을 짜는 것, 그것도 전력에 포함되는 것이다."

옳은 말이었지만 고개를 숙인 사내는 영 마음에 와닿지 않는 모양이었다.

그 모습을 본 현명군이 가볍게 한숨을 쉬며 사내를 불렀다.

"등활(等活)아."

사내가 대답했다.

"말씀하십시오, 현명군."

"네가 불처럼 뜨겁고 강렬한 성격을 지닌 건 잘 알고 있다. 하지만 가끔은 냉정하고 차분하며 이성적으로 생각해야 할 때도 있는 법이다."

"지금 저는 한없이 차분합니다."

등활이 대답했다.

"만약 차분하지 않았다면 저 덤불 속에 은신한 자들부터 모두 죽인 후에 현명군께 사후 보고를 했을 겁니다."

현명군은 서늘한 눈빛으로 자신의 오른팔이라 할 수 있는 등활의 정수리를 내려다보다가 가벼운 한숨을 쉬며 말을 돌렸다.

"흑승(黑繩)은 어디 있느냐?"

"중합(衆合)과 더불어 서방과 중앙을 마중 나갔습니다. 아마 내일 오후에는 이곳에 도착할 겁니다."

"본가에서는 따로 연락이 없고?"

"네. 오대가문의 연합이 결성되었고 오천(五千)의 정예부대를 편성, 유주로 향할 거라는 밀서 이후로는 따로 연락을 받지 못했습니다."

"다른 가문의 척후대는?"

"역시 아직 연락이 없습니다. 아무래도 우리와는 달리 다들 항주에서 출발한 만큼 생각보다 시일이 걸릴 것 같습니다."

"흠, 가주께서는 왜 굳이 그들을 기다리라고 하시는지 모르겠구나."

현명군은 인상을 찌푸리며 중얼거렸다.

건곤가에서 있었던 회합 당시, 천예무는 강만리 일행이 북경부를 출발하여 유주로 향하고 있다는 정보를 다른 가주들에게 알렸다.

이후 가주들은 자신들을 보필하던 호위무사 중 일부를 차출하여 척후대, 혹은 선봉대라는 개념으로 유주로 보냈다. 그러니 당연히 미리 출발해서 대기하고 있던 현명군과는 시간 차이가 크게 날 수밖에 없었다.

"우리의 힘만으로는 부족하다고 여기신 건지…… 아니면 오대가문이 하나로 뭉치는 모습을 보고 싶으신 건지……."

현명군의 중얼거림에 등활이 불쑥 입을 열었다.

"우리의 힘을 아끼고자 하시는 걸 겁니다."

"음?"

"가주의 원대한 야망을 생각해 보자면 아군의 힘은 최대한 유지하고 숨겨야 하니까 말입니다."

"그걸 알면서도 저들 세 무리와 싸우고자 한 게냐?"

"그래 봤자 살수들 아닙니까?"

등활은 힐끗 덤불숲 쪽으로 시선을 돌리며 말했다.

"기껏 살수 따위에게 곤란을 겪을 정도의 무력이라면, 가주의 원대한 야망은 애당초 실현 불가능한 일이니까요."

"살수도 살수 나름이다."

현명군이 나무라듯 말했다.

"만약 은자림의 십이현자나 대자객교의 십팔대자객(十八大刺客), 살막의 살왕(殺王)들이 나섰다면…… 그때는 우리도 목숨을 걸어야 할 테니까."

등활도 그 자객들의 명성을 익히 알고 있는 듯 저도 모르게 움찔거렸다. 하지만 그는 곧 다시 당당하고 자신감 넘치는 목소리로 말했다.

"그자들이라면 애당초 제 동료들의 이목에 잡히지도 않았을 겁니다."

현명군은 등활에게 한마디 하려다가 입을 다물고 문득 밤하늘을 올려다보았다. 그는 가늘게 눈을 뜨며 중얼거렸다.

"아무래도 내일은 비가 오겠군."

8장.

고약한 날씨다

사냥꾼들에게 가장 필요한 건 인내와 끈질김이었다.
몇 시진을 꼼짝하지 않고 엎드린 채로 가만히 있을 줄 알아야 했다.
소변도 그 자세로 싸고 심지어 대변도 그렇게 엎드린 채 싸야 했다.

1. 폭우(暴雨)

회색 늑대라고 하기에는 푸른빛이 감도는 털을 가지고 있었다. 어쩌면 저 몽고의 전설에 나오는 '보르테 치노', 즉 '푸른 늑대'의 후예일지도 몰랐다.

바로 이 청랑(青狼)이야말로 회주와 유주의 접경 부근의 광활한 평야를 지배하는 우두머리 늑대였다.

그는 무려 여섯 무리를 하나로 뭉쳐 휘하에 이끌고 드넓은 광야를 헤집고 다니면서 온갖 짐승은 물론 사람들마저 자신의 사냥감으로 생각하는 오만하고 자긍심 넘치는 동물이기도 했다.

이번에 발견한 팔두마차와 수십 필의 말과 사람들도 마

찬가지였다. 그는 오래간만에 자신의 대가족이 포식을 할 수 있겠다며 즐거워했다.

물론 사람들은 조심해야 했다. 그들은 창과 칼, 활 등으로 무장했으며 어떤 이들은 하늘을 날기도 하고 바람과 번개를 일으키기도 했다. 멋모르고 놈들에게 가까이 접근했다가 목숨을 잃은 수하들이 여럿 있었다.

하지만 그는 자신이 흘러넘쳤다. 그에게는 지금껏 단 한 번도 실패하지 않았던 작전이 있었다.

날래고 영활한 무리를 보내 사람들의 주의를 한쪽으로 쏠리게 한 다음, 주력 부대를 뒤로 돌아 보내서 말을 죽이거나 깊은 상처를 내고 도망치는 작전.

사람들은 냉정했다. 상처를 입고 죽어 가는 말을 끝까지 돌보는 사람은 없었다. 사람의 무리가 떠난 후 그 자리에 버려진 죽은 말, 죽어 가는 말들은 청랑과 그의 가족들의 맛있는 먹이가 되었다.

지금까지 늘 그래 왔던 일이었고 이번에도 그럴 것이라고 생각한 청랑이었다.

그러나 이번은 달랐다. 단 한 번의 실패도 없었던 청랑의 작전은 무참하게 실패했고, 그 바람에 다섯 마리의 훌륭한 아들들이 죽음을 당했다.

청랑은 구슬피 울었다. 분노와 증오의 울음을 토했다. 반드시 아들들의 복수를 할 것이라 맹세하는 울음이었다.

청랑은 그렇게 사흘 동안 사람들의 뒤를 쫓으며 호시탐탐 기회를 노렸다.

하지만 시간이 흐르면서 청랑은 뭔가 잘못되어 간다고 생각했다. 사람들을 노리는 건 청랑뿐만이 아니었다. 그들을 노리는 또 다른 사람들의 무리가 하나둘씩 늘어나고 있었다. 그것도 청랑조차 본능적으로 두려움을 느낄 정도의 살기를 가진 사람들이었다.

결국 그날 밤.

달이 떠 있었지만 잿빛 구름에 가려 달빛 한 점 비추지 않던 그날 밤, 세 번째 또 다른 무리가 나타나던 그날 밤, 청랑은 마침내 복수를 포기했다.

청랑은 마지막으로 원한의 울음을 길게 토한 후, 무리를 이끌고 발길을 돌렸다.

그리고 다음 날, 드넓은 광야에 비가 내리기 시작했다.

* * *

광활한 땅을 지배하던 청랑의 무리가 황무지를 떠난 다음 날 아침, 야영을 하던 두 대의 마차가 천천이 이동하기 시작했다. 수십 필의 말에 올라탄 무사들이 마차 양쪽으로 늘어서 호위하며 주위를 살폈다.

밤새 제대로 잠을 자지 못한 듯 무사들의 얼굴은 핼쑥

해 보였다. 하지만 두 눈은 그 어느 때보다 형형하게 빛났으며 몸은 한없이 가벼워 보였다.

제대로 관리되지 않은 길은 험했다. 돌멩이와 무성한 잡초로 뒤덮여 있었고, 쥐나 다른 조그만 동물의 굴들이 사방에 나 있었다.

마차 바퀴는 금방이라도 빠질 듯 덜컹거렸다. 거기에 말들도 조그만 굴과 웅덩이를 조심해서 발을 놀리니, 속도가 날 리 없었다.

어젯밤부터 불길할 정도로 잿빛이던 하늘은 아침이 되어서도 여전히 우중충했다. 시간이 지나면서 습도가 점점 오르는가 싶더니 정오 무렵, 이윽고 비가 내리기 시작했다.

폭우였다.

쏴아아아!

장대비가 힘차게 지면을 향해 쏟아졌다.

지면은 금세 흙탕물로 변했고, 수레바퀴는 진흙에 빠져 움직이지 않았다. 말들은 진창에서 움직이느라 빠르게 지쳤으며, 결국 행렬은 게서 멈춰야 했다.

좀처럼 그칠 것 같지 않은 폭우 속에서 옴짝달싹하지 못하게 된 것이다.

"좋지 않군."

정유와 함께 마부석에 앉아 있던 강만리가 죽립을 깊게

눌러쓰며 중얼거렸다. 굵은 빗방울이 거칠게 그의 죽립을 후려갈기고 있었다.

"사방이 확 트인 곳이라 적의 기습을 방비할 수는 있겠지만…… 자칫 사방으로 포위당한 채 고립무원(孤立無援)의 처지가 될 수도 있겠다."

"지금 당장 적이 기습해 올 거라고 생각하십니까?"

정유가 앞쪽 마차의 동향을 살피며 물었다. 강만리는 죽립을 살짝 들어 올려 주위를 둘러보며 대답했다.

"그건 아니라고 본다. 아직 날이 밝으니 놈들의 움직임을 우리가 환히 들여다볼 수 있거든. 기습의 효과가 전혀 없게 되겠지."

"그럼 역시 밤이겠군요."

"그렇지. 게다가 좀처럼 그칠 것 같지 않은 폭우다. 아마도 오늘 하루 종일 쏟아질 것 같은 기세다. 그러니 만약 움직이려면 폭우가 쏟아지는 밤이 적격일 거야."

"그럼 담 형님과 예추가 움직이는 것도 밤인가요?"

"그래야겠지. 지금 움직일 수는 없잖겠어?"

"흐음."

정유는 삿갓을 깊게 눌러썼다.

쏴아아아!

빗줄기가 갈수록 거세지고 있었다. 우장(雨裝) 안으로 빗물이 새어 들 정도로 비는 거칠게 휘몰아쳤다.

우장은 바람을 막아주는 피풍의(披風衣)와 비슷하게 생긴 비옷으로, 기름을 먹여 빗물에 젖거나 안으로 흘러들지 못하게끔 하는 효능이 있는 물건이었다.

사실 오동유(梧桐油)를 직물에 발라 건조한 후 방수성 유포(油布)를 만드는 수법은 과거 춘추전국 시대부터 있었으며, 현재는 유의(油衣)는 물론 유지(油紙)로도 우장을 만들어 낼 수가 있었다.

역시 기름 먹인 죽립과 우장으로 무장한 양위가 말머리를 돌려 강만리에게로 다가왔다.

"어떻게 할까요? 저쪽 덤불 쪽으로 빠져나가서 조금이라도 비를 긋는 게 낫지 않을까 생각합니다만."

강만리는 양위가 가리킨 방향으로 시선을 돌렸다. 잿빛 공간을 세로로 긋는 수백, 수천의 빗줄기 저편으로 어른 키 정도 자란 덤불숲이 지평선을 가로막은 채 길게 펼쳐져 있었다. 마치 거대한 검은 구렁이가 꿈틀거리며 기어가는 듯한 모습이었다.

'어쨌든 저 정도 울창한 덤불 안쪽이라면 아무리 이 폭우라 하더라도 괜찮을 것 같기는 한데.'

강만리의 짙은 눈썹이 꿈틀거렸다.

하지만 저 덤불숲 안에 무엇이 숨어 있을지도 몰랐다. 경계도 하지 않은 채 무작정 다가갔다가 느닷없는 기습을 당할 수도 있었다.

강만리는 정유를 힐끗 돌아보았다. 정유는 강만리가 무슨 생각을 하는지 이해했다는 듯 고개를 끄덕이며 말했다.

"군악과 예추를 데리고 다녀오겠습니다."

"수고하게."

정유는 곧장 마부석을 박차고 허공을 날아 앞쪽 마차의 마부석으로 향했다. 그는 곧 일노와 함께 마부석에 앉아 있던 화군악과 대화를 나눈 후, 마차 벽을 두드리며 장예추를 불렀다.

마차 문이 열렸다. 장예추가 죽립을 쓰고 우장을 걸치며 밖으로 걸어 나왔다.

쏴아아아!

거친 빗줄기가 그 짧은 순간 마차 안으로 쏟아져 들어갔다.

"와아!"

어린아이의 해맑은 탄성이 거칠게 퍼붓는 빗줄기 저편에서 흘러나왔다.

장예추는 황급히 마차 문을 닫고는 잠시 정유와 화군악과 함께 대화를 나눴다. 그러고는 곧장 우측으로 몸을 날려, 그 예의 수백 장은 족히 되어 보이는 덤불숲으로 향했다.

"그럼 우리도 천천히 저곳으로 이동하지."

지켜보던 강만리가 입을 열었다.
"존명."
양위가 다시 말을 몰아 앞으로 나아가며 크게 소리쳤다.
"모두 우측 덤불로 향한다!"
그의 쩌렁쩌렁한 목소리가 빗줄기를 뚫고 퍼져 나갔다.
일노는 채찍과 고삐를 휘두르며 마차의 방향을 틀었다. 강만리도 그 뒤를 따라 말들을 움직였다. 마차 좌우에 늘어서 있던 말들도 천천히 우측으로 방향을 바꾸며 이동하기 시작했다.
쏴아아아!
비는 더욱 거세졌다. 쏟아지는 빗줄기 사이로 연기처럼 뿌연 물안개가 번져서, 제대로 앞이 보이지 않을 지경이었다.
"지독하게 퍼붓는군."
강만리는 빗줄기를 올려다보며 중얼거렸다.
"그나저나 어느 쪽에 행운을 가져다주려나?"

2. 덤불 속 동굴

쏴아아아!

격렬한 바람과 함께 세찬 빗줄기가 마구잡이로 휘몰아쳤다. 정유와 화군악, 장예추는 빠르게 덤불 안쪽으로 뛰어 들어갔다. 굵은 나뭇가지 같은 풀들이 아무렇게나 뒤엉킨 채 사람 키 정도나 자라서 만들어진 숲이었다.

장예추와 화군악은 거의 동시에 칼을 빼 들어 가로막은 풀들을 베어 공간을 만들었다. 마치 풀과 나무로 엮인 동굴처럼 아늑한 공간이 순식간에 만들어졌다.

허리를 굽히고 동굴 안으로 들어선 두 사람은 계속해서 풀들을 베어 내며 공간을 넓혔다. 나중에 들어선 정유가 죽립을 벗고 위를 올려다보았다.

투투투툭!

요란한 빗소리가 덤불 위에서 쉴 새 없이 들려왔지만, 다행히 빗물은 새지 않았다.

억센 풀과 나뭇가지와 넝쿨들이 이리저리 얽히고 다시 얽히기를 여러 차례, 그렇게 여러 겹으로 얽혀서 만들어진 덤불의 머리는 그야말로 찰흙으로 만든 지붕처럼 단단하고 견고하게 빗물을 막아 주고 있었다.

정유는 주위를 둘러보며 고개를 끄덕였다.

"이 상태라면 하루 정도 쉴 수 있겠군."

정유는 화군악과 장예추가 베어 낸 풀들과 가는 나뭇가지들을 한데 모아 불을 밝혔다. 이내 매캐한 연기가 화군악들이 만들어 내고 있는 공간 안을 가득 메웠다.

“쿨럭! 뭐 하는 겁니까?”

덤불숲 안쪽으로 연신 칼을 휘두르던 화군악이 기침하며 짜증스레 말하자 정유는 당연하다는 듯이 말했다.

“불을 피우네.”

“아니, 여기서 불을 피우면 어쩌자는 건데요? 이 연기는 어떻게 합니까?”

“연기가 빠져나갈 굴뚝을 만들면 되지.”

“굴뚝을 어떻게 만듭니까?”

“흠. 나는 군악 자네가 꽤 거칠고 힘들게 살아왔다고 생각했는데 알고 보니 쭉정이였군그래.”

“네? 쭉정이라고요?”

“그렇지. 보아하니 밀림이나 이런 황무지에서 야숙한 적이 별로 없었던 것 같군. 생각보다 훨씬 도련님이었어.”

“아, 그건 뭐…….”

화군악이 말꼬리를 흐렸다.

확실히 그런 면이 없지는 않았다.

비록 태생이 험하고 비루했으나, 야래향을 사부로 모신 후로는 나름대로 잘 먹고 잘 살아왔으니까. 무공을 익힌 이후로는 크게 고생한 적도 없고, 돈을 벌기 시작한 후로는 풍족하지 않은 적이 없었으니까.

물론 세상에서 가장 친했던 친구에게 배신을 당해 죽을

뻔하기도 하고, 이런저런 크고 작은 싸움 와중에 적잖은 부상도 입었으며, 또 몇 달 전에는 독에 당해 죽을 뻔한 고비를 넘기기도 했다.

그러나 정유의 말처럼 일상생활에서만큼은 확실히 도련님이라고 해도 될 정도로 부유하고 안락하게 살아온 것 역시 사실이었다.

정유는 힐끗 위를 올려다본 후 검을 들어 가볍게 덤불 더미를 베고 자르며 말을 이었다.

"강호 생활을 하다 보면 말이지. 이런 덤불 속이나 수풀 속에서 며칠 몇 날을 숨어 지내야 할 때도 있거든. 그것도 손과 발이 꽁꽁 얼어붙을 정도로 추운 계절에 말일세."

정유는 손을 뻗어 잘라 낸 풀과 가지들을 제거하며 구멍을 사선으로 만들었다.

"그러면 얼어 죽지 않기 위해서 어쩔 수 없이 모닥불을 피워야 하거든. 처음에는 동굴 안에 가득 찬 연기 때문에 외려 모닥불을 피우지 않느니만 못하기도 하지만…… 그것도 숙달되면 나름대로 요령이 생기는 법이니까. 이렇게 말일세."

덤불 위쪽에서는 여전히 쉬지 않고 폭우가 쏟아졌지만, 그렇게 정유가 구불구불하게 만든 구멍을 타고 이 공간 안으로 흘러 들어오는 빗물은 거의 없었다.

정유는 옷을 툭툭 털어 잔풀과 나뭇가지들을 떼어 내며 활짝 웃었다.

"어떤가? 한결 낫지 않은가?"

아닌 게 아니라 정유가 뚫은 굴뚝을 통해 연기가 빠져나가기 시작하면서 숨 쉬기는 편해졌고, 덤불 속 공간은 훨씬 더 아늑하고 따뜻해졌다.

"한 수 배웠습니다, 정 형님."

화군악은 고개를 살짝 숙이며 말했다. 정유는 살짝 의외라는 표정을 지었다. 화군악은 머리를 긁적이며 말을 이었다.

"생각해 보니 확실히 제가 도련님이었던 것 같아서요. 그동안 너무 편하게 살아왔던 모양입니다."

"아는구나."

장예추가 홀로 칼을 휘두르며 말했다.

"그럼 와서 날 돕던가. 나만 힘들잖아?"

"아, 미안."

화군악은 활짝 웃으며 다시 칼을 휘두르기 시작했다.

* * *

하나둘씩 사람들이 새롭게 만들어진 덤불 속 공간으로 들어오기 시작했다.

"대단하네."

고개를 숙이고 안으로 들어선 강만리는 이내 믿어지지 않을 정도로 넓은 공간을 보고는 눈을 휘둥그레 뜨며 그렇게 말했다.

좁은 입구와는 달리 덤불 안쪽으로 펼쳐진 동굴의 크기는 대략 삼십 장 너비나 되었다. 화평장 모든 사람들이 한꺼번에 들어오기는 좁았지만, 절반가량 되는 이들이 교대로 쉬기에는 조금의 부족함이 없는 공간이었다.

"와아! 동굴이에요?"

소화의 손을 잡고 들어서던 담창이 신나서 폴짝 뛰었다. 보보와 담정도 까르르 웃으면서 이리저리 뛰어다녔다. 며칠 동안 마차 안에서만 생활하던 아이들에게는 이 정도 공간만으로도 충분한 놀이터가 될 수 있었다.

"잘 만드셨네요."

예예가 덤불 천장을 만지면서 말했다.

"누가 짓밟지 않는 한 쉽게 무너져 내리지는 않을 것 같은데요."

"그게 문제이기는 합니다, 형수."

화군악이 한숨을 쉬며 말했다.

"이 안에 모여 있을 때 덤불 위에서 누군가 짓밟아 버린다면, 꼼짝없이 그대로 당할 수 있거든요."

"밖의 경비를 철저하게 해야겠군요."

양위가 주변을 둘러보며 그렇게 말했다.

"흠, 일반 무사들에게만 맡길 수는 없겠네. 드디어 우리가 힘을 쓸 때가 된 모양이군."

강만리의 말에 화군악이 입을 삐죽였다.

"이 동굴을 만든 게 전데요?"

"그건 그거고."

강만리는 냉정하게 말했다.

"나와 정유가 두 시진, 이후에는 너와 양 당주가 두 시진, 그렇게 교대하면서 경비 책임을 맡기로 하지."

"예추나 담 형님은요?"

"밤에 할 일들이 있잖아? 지금은 좀 쉬도록 해 줘야지."

"설 형님은요? 만해 사부는요?"

"벽린은 아직 손이 낫지 않았고, 만해 사부는 초 어르신의 상태를 지켜봐야 하잖아?"

강만리가 슬슬 짜증 난다는 투로 말을 이었다.

"왜? 빗속에서 경비를 서는 게 싫어? 그럼 내가 다 할까? 자네는 여기서 푹 쉬고?"

"아뇨. 누가 안 한다 했나요?"

화군악이 활짝 웃으며 말했다.

"그저 다른 사람들은 뭐하나 궁금해서 여쭤봤던 거죠. 허험. 그럼 저는 예추에게 가 볼게요. 아직 다듬지 못한 공간이 있나 보네요."

화군악이 서둘러 강만리 곁을 벗어났다. 강만리는 한숨을 쉬며 고개를 설레설레 흔들었다.

"정말 언제 철이 들려나?"

정유가 웃으며 말했다.

"도련님이라니까요."

"도련님? 웬 도련님?"

"그런 게 있어요."

정유는 웃으며 말하다가 문득 진지한 표정을 지으며 화제를 돌렸다.

"그나저나 초 노야는 어쩔 생각이십니까?"

"음?"

"아무래도 다시 정신을 차릴 시기는 지난 것 같은데요. 그만 포기하는 게 초 노야나 우리를 위해 좋을 것 같거든요."

정유는 낮은 목소리로 상당히 냉정하지만, 객관적인 이야기를 건넸다. 강만리의 표정도 진중해졌다.

물론 강만리 역시 그런 생각을 하지 않은 건 아니었다. 그동안 송장과 같은 초유동을 지키고 보호하고 살리기 위해서 들어간 인력과 비용은 결코 만만치 않았다.

지금도 그랬다. 초유동만 아니라면 만해거사도 경비조에 투입할 수 있었고, 조금은 더 화평장의 전력을 원활하게 운용할 수 있었다.

무엇보다 만해거사나 구자육의 심력과 체력의 소모도 적잖았다. 초유동을 살리기 위한 방법을 찾아내느라 며칠 밤을 꼬박 새우면서 고민하고 또 고민하는 그들의 모습을 강만리가 모를 리가 없었다.

심지어 이러다가 만해거사나 구자육이 먼저 쓰러져 죽을지도 모르겠다는 우려가 들 정도로 두 사람은 전심전력으로 초유동을 보살피고 있었다.

거기에다가 어제는 화평장 무사들의 기맥과 단전을 살피고 약을 제조하느라 제대로 한숨도 자지 못한 터였다. 확실히 지금 그들 두 사람이, 화평장 모든 식구들 중에서 가장 무리하는 상황이었다.

'그들을 위해서라도…….'

초유동을 버리는 게 옳다.

강만리는 그런 생각을 하면서 힐끗 구석진 곳으로 시선을 돌렸다. 만해거사와 구자육이 죽은 듯 누워 있는 초유동 곁에 앉아서 뭔가 심각하게 대화를 나누는 모습이 보였다.

'하지만…….'

강만리는 입술을 깨물었다.

만해거사나 구자육이 먼저 포기하지 않는 한 강만리가 나서서 초유동을 버리자고 할 수도 없는 노릇이었다.

이미 절친인 유 노대를 떠나 보낸 만해거사였다. 그런 만해거사에게 또 다른 벗까지 버리라고 종용하는 건 사람의 도리가 아니었다.

그래서 결국 강만리가 포기했던 문제를, 지금 정유가 새삼 끄집어낸 것이다.

"골치 아픈 문제다."

강만리의 중얼거림에 정유가 냉정하게 눈빛을 빛내며 속삭이듯 말했다.

"필요하실 때 언제든지 말씀해 주세요."

그게 무슨 의미인지 모를 강만리가 아니었다.

"그러지."

강만리는 길게 한숨을 쉬며 고개를 끄덕였다. 정유도 따라서 고개를 끄덕이며 말했다.

"그럼 먼저 밖으로 나가 보겠습니다."

그는 희미하게 웃으며 말을 이었다.

"우리가 힘들게 만든 이 공간을, 누군가가 짓밟게 할 수는 없으니까요."

3. 손님을 환영하기에 딱 좋은 날씨

양위를 비롯한 사람들에게 몇 가지 지시를 내린 후, 강만리는 죽립을 고쳐 쓰며 동굴 입구를 빠져나왔다.

쏴아아아!

굵은 장대비가 앞이 보이지 않을 정도로 거세게 퍼붓고 있었다.

땅은 온통 검붉은 흙탕물이 되었고 넘쳐흐르는 흙탕물이 지대가 낮은 지면으로 유입되어 흐르면서, 이 드넓은 황야에 순식간에 수십 개의 크고 작은 개울이 만들어졌다.

덤불숲 근처에도 그런 개울이 흘렀다. 개울은 금세 넘쳐서 덤불숲으로 흘러 들어올 것 같았다. 먼저 나갔던 정유가 몇몇 무사들과 함께 그 개울의 물꼬를 다른 방향으로 틀고 있었다.

강만리는 잠시 그 광경을 지켜보다가 고개를 돌렸다. 덤불숲 옆, 마차 두 대와 수십 필의 말이 엄청나게 퍼붓는 폭우를 맞고 있었다.

그곳에서는 일노와 또 다른 무사 몇몇이 마차 바퀴와 말굽에 묻은 진흙을 벗겨 내는 중이었다. 몸이 아플 정도로 굵고 거센 빗줄기 속에서도 다들 정신없이 바쁘게 움직이고 있었다.

강만리는 다시 고개를 돌렸다. 아직 해가 중천 즈음에 머물러 있을 시각이었지만, 하늘은 어두운 잿빛이었고 사방은 빗줄기와 어둠에 가려져 제대로 사물을 분간할 수조차 없었다.

이 정도의 시야라면 밤까지 기다리지 않아도 얼마든지 기습이 통할 것 같다는 불길한 예감이 들었다.

'진짜 고약한 날씨라니까.'

강만리는 투덜거리면서 덤불 속 동굴로 들어갔다.

구석진 곳에 담우천이 가부좌를 틀고 명상에 잠긴 채 그의 식구들과 함께 있었다. 반대편 자리에는 화군악이 정소흔과 함께 앉아서 그들의 딸, 화소군의 재롱을 지켜보고 있었다. 그 옆으로는 장예추와 당혜혜가 어깨를 맞대고 뭔가 소곤소곤 대화를 나누던 참이었다.

언뜻 보면 한없이 평화롭고 느긋한 모습이었다. 강만리는 내심 한숨을 쉬고는 담우천과 장예추를 불렀다. 두 사람이 천천히 걸어왔다.

강만리가 나지막한 소리로 말했다.

"밖의 상황을 보니 지금 출발하셔도 될 것 같습니다."

담우천은 고개를 끄덕였고, 장예추는 힐끗 당혜혜를 돌아보았다.

"제수씨는 우리가 챙길 테니까 걱정하지 말고."

"걱정은요."

강만리의 말에 장예추가 미소를 지으며 말했다.

"그저 조금 전 그녀가 했던 말이 떠올라서요."

"무슨 말?"

"손님을 환영하기에 딱 좋은 날씨라고 말이에요."

"음? 그게 무슨 소리지?"

강만리가 고개를 갸우뚱거리자 장예추는 의미 모를 미소를 머금으며 말했다.

"우리끼리만 아는 암화(暗話) 같은 건데요. 사실 불청객을 환영하는 데에는 정말 안성맞춤인 날씨이거든요."

"아니, 그게 무슨 소리냐고?"

강만리가 짜증을 부리듯 묻자, 장예추는 다시 힐끗 제 아내를 돌아보았다.

당혜혜는 허리춤의 전낭(錢囊)을 뒤적거리며 무언가를 찾는 중이었다. 그러더니 한순간 고개를 돌려 장예추를 쳐다보고는 활짝 웃으며 고개를 끄덕였다.

"다행히 가져왔나 봅니다."

장예추가 웃으며 말하자 강만리는 더욱 짜증 난 목소리로 물었다.

"그러니까 뭘?"

그때였다. 잠자코 그들의 대화를 듣고 서 있던 담우천이 불쑥 입을 열었다.

"환빈야연(歡賓夜宴)이로구나."

장예추가 고개를 끄덕였다.

"네. 바로 환빈야연입니다."

"환빈야연?"

눈을 동그랗게 뜨고 묻던 강만리도 뒤늦게 알아차린 듯 "아!" 하며 말을 이었다.

"그 환빈야연?"

"네. 마침 그녀의 전낭 속에 있었나 봅니다."

"그래? 그거 정말 다행이네. 그럼 자네는 여기 남아서 제수씨를 도와……."

"아뇨. 그럴 필요는 없습니다."

장예추는 고개를 저었다.

"독에 관한 한 저는 그녀에게 방해만 되니까요."

"그런가?"

"네. 그럼 어서 가 보죠, 담 형님."

"그럴까?"

담우천과 장예추는 한결 편안해진 얼굴로 죽립을 눌러썼다. 우잠을 새롭게 고쳐 입은 그들은 천천히 동굴 밖으로 걸어 나갔다.

강만리가 그 뒤를 따라 밖으로 나가며 말했다.

"조심들 해야 합니다."

"물론일세."

"걱정하지 마세요, 형님."

두 사람은 가볍게 손을 흔들었다. 그러고는 가볍게 어깨를 터나 싶더니, 이내 그 자리에서 자취를 감췄다.

폭우 사이로 날아가는 모습도, 흙탕물이 된 지면을 밟

고 달려가는 모습도 없었다. 마치 원래 그 자리에 존재하지 않았던 것처럼, 그렇게 자연스레 두 사람의 모습이 사라졌을 뿐이었다.

"휴우."

강만리는 한숨을 쉬었다.

"정말 언제 봐도 대단한 신법이라니까."

이런 부분이었다.

강만리가 부족한 건 이렇게 세세하고 세밀한 쪽의 무공이었다. 최소한 십 년 이상 수련하지 않고서는 이룰 수 없는 초절정의 경지.

강만리는 잠시 빗속 어느 한 곳을 응시하다가 죽립을 눌러쓰며 어슬렁거리듯 걷기 시작했다.

"아무리 환빈야연이 있다 한들 조금이라도 경계를 늦춰서는 안 되니까."

* * *

쏴아아! 쏴아아아!

장엄하게 느껴질 정도의 폭우였다.

우르르! 콰콰쾅!

폭우 사이로 천둥이 일었고, 번개가 하늘을 갈랐다. 새파란 섬광이 하늘의 창(槍)처럼 공간을 갈기갈기 찢으며 대지에 내리꽂히는 광경은 실로 경외심이 들 정도였다.

잿빛이었던 하늘은 묵빛으로 변했고, 사위는 온통 빗줄기와 빗소리뿐이었다. 새파란 섬광이 번쩍이면서 천지를 가르는 그 짧은 순간만 주변 사물의 모습을 확인할 수가 있었다.

담우천과 장예추는 허리까지 오는 수풀 사이를 뱀처럼 포복해 움직이고 있었다.

어찌 보면 한없이 난감한 상황이었다.

수십만 평이나 되는 광활한 평야였다. 그 광대한 황무지 어딘가에 있을, 누군지도 모르는 적을 찾아내야 하는 일이다. 일반적인 상황이라면 시작하기 전부터 단념하고 포기해야 할 일임이 분명했다.

하지만 천만다행으로 그들에게 아무런 단서가 없는 건 아니었다. 누구인지, 어디에 있는지 알 수 없는 놈들은 강만리 일행을 뒤쫓고 있었다. 즉, 강만리 일행으로부터 반경 이백여 장 안, 그 안에 반드시 놈들이 있었다.

그 정도면 충분했다.

한때 천하를 공포로 휘몰았던 사선행자의 수좌 담우천에게나 무림의 사냥꾼이라 불렸던 무림엽사 장예추에게는 그 정도 조건이라면 충분히 적을 찾아낼 수 있었다.

-오른쪽.

앞서 움직이던 담우천의 입술이 달싹거리면서 그의 전

음이 장예추의 귓전으로 스며들었다.

전음술을 간단히 정의하자면 목소리를 기파(氣波)로 바꿔 상대에게 전하는 수법이었다. 즉, 지금처럼 쉴 새 없이 퍼붓는 빗소리와 천지가 진동하는 천둥과 번개와 상관없이 자신의 의사를 상대에게 전할 수 있다는 확실한 효능을 지닌 무공이었다.

물론 그만큼 익히기 까다롭고 제대로 사용하기 매우 어려운 무공이기는 하지만, 지금의 담우천이나 장예추에게는 그리 대단한 수법이 아니기도 했다.

강만리 일행으로부터 이백여 장 밖까지 포복하여 빠져나갔던 장예추는 담우천의 지시에 따라 오른쪽으로 크게 선회하며 다시 강만리 일행 쪽으로 이동하기 시작했다.

빗줄기는 그들의 모습을 숨겨 주고 빗소리와 천둥은 그들의 기척을 가려 주었다. 그리고 가끔씩 천지를 새파랗게 물들이는 번개는 그들이 찾고 있는 자들의 위치를 확인시켜 주리라.

담우천과 장예추는 천천히 은밀하게 움직였다. 평야 곳곳에 있던 덤불을 확인하면서 그들은 방향을 바꾸고 다시 크게 선회했다. 그들이 기어간 자리의 수풀들이 바람에 움직이듯 희미하게 흔들렸다.

아마도 놈들은 절대 담우천과 장예추의 흔적을 찾지 못할 것이다. 등 뒤에서 호랑이가 천천히 다가오고 있다는 것도 모른 채 물을 마시는 사슴처럼, 그들은 오로지 강만리 일행만 주시하고 있을 테니까.

담우천과 장예추는 끈질기게 천천히 움직였다.

그들은 수풀 위로 어깨나 고개가 드러나지 않도록 최대한 몸을 낮춰, 지면과 몸이 맞닿을 정도로 낮은 자세로 엉금엉금 기었다. 웅덩이를 헤치면서 철퍽거리는 소리가 나지 않도록 아주 느릿하고 조심스럽게 기어 나갔다.

장예추는 무심코 어린 시절, 호랑이를 사냥하던 때의 기억을 떠올렸다.

그때도 청령산의 사냥꾼들은 이렇게 조심스럽게 움직였다. 행여 바람이 호랑이에게 그들의 냄새를 전해 주지 못하도록, 언제나 바람의 방향을 살피면서 움직였다.

자칫 호랑이에게 뒤를 밟히지 않도록, 한 걸음 내디디고 뒤를 확인하고 다시 한 걸음 움직이며 호랑이를 쫓았다.

노련한 사냥꾼은 쉽게 지치지 않았다. 함부로 움직이지도 않았다.

사냥꾼들에게 가장 필요한 건 인내와 끈질김이었다. 몇 시진을 꼼짝하지 않고 엎드린 채로 가만히 있을 줄 알아야 했다. 소변도 그 자세로 싸고 심지어 대변도 그렇게 엎드린 채 싸야 했다.

바람의 방향이 바뀌기 전에는, 그래서 목표한 사냥감이

지린내와 구린내를 맡기 전까지는 그 불편함과 더러움을 참아 낼 줄 알아야 했다.

그게 사냥꾼이었다.

–좌측 이십여 장.

장예추는 담우천에게 전음을 보냈다.

일순 두 사람은 동작을 멈췄다. 얼어붙은 것처럼 엎드린 채 그 자리에서 움직이지 않았다. 콧구멍을 벌리고 귀를 활짝 열었다. 눈은 가늘게 뜨고 최대한 먼 곳을 응시했다.

–됐다. 놈들이다.

담우천이 재차 전음을 보내왔다.

장예추는 길게 호흡을 삼켰다. 드디어 놈들의 기척을 발견한 것이다.

장예추와 담우천이 엎드린 곳에서 좌측으로 약 이십여 장 떨어진 덤불 속. 그곳에서 수십여 개의 따뜻한 기척이 흘러나오고 있었다.

하나같이 고강한 무위를 지닌 기척이었다. 하지만 그들은 전혀 자신들의 등 뒤를 신경 쓰지 않은 채 오로지 그들에게서 백여 장 떨어진 전면만 주시하고 있을 따름이었다.

쏴아아아! 우르릉!

빗줄기가 점점 굵어지는 가운데 천둥이 일었다. 그리고

번쩍! 하면서 새파란 섬광이 천지를 반으로 갈랐다.

한순간 시꺼멓던 세상이 새파랗게 번쩍였다가 다시 어두워졌다.

그 짧은 순간, 백여 장 앞을 가로지르는 덤불숲이 보였다. 그리고 두 대의 마차와 수십 필의 말들이 서 있는 모습도 보였다.

그랬다.

놈들은 지금 강만리 일행을 노리고 있었다.

9장.

환빈야연(歡賓夜宴)

한밤중의 연회(宴會)에 누구를 초대하려나.
벗이라면 술을 대접하고
귀한 손님이라면 술과 음식을 대접하고,
초대하지 않은 손님이라면 환빈야연(歡賓夜宴)을 대접해 드리지.

1. 겁쟁이인가

“더없이 좋은 기회요.”

그는 동료에게 말했다.

“이미 사방은 깜깜해서 앞이 전혀 보이지 않소. 이 폭우는 우리의 기척을 숨겨줄 것이오. 번개만 조심하여 앞으로 나간다면 충분히 놈들을 해치울 수 있소.”

“아직 아니요.”

동료가 고개를 저었다.

“보다 더 확실한 순간이 올 때까지 기다려야 하오. 놈들은 최 형이 생각하는 것보다 훨씬 강하오. 이미 나는 수하들을 이끌고 그들 중 두 명과 싸워 본 적이 있고, 그때 처참한 패배를 당했소. 모르기는 몰라도 그들은 그때 보다 훨씬 더 강해졌을 것이오."

"그건 우리도 잘 알고 있는 일이오. 그래서 이번에는 십팔혈면사신(十八血面死神)은 물론, 우리까지 함께 오지 않았소? 왕 형은 너무 걱정이 많은 것 같소."

"그래서 더더욱 조심하자는 것이오. 이번마저 청부를 완수하지 못하면 본 막은 봉문(封門)이 아니라 멸문(滅門)하게 될 테니까. 다시 한번 말하지만 놈들은 생각보다 훨씬 강하오."

왕 형이라 불린 자는 나직하게 한숨을 쉬며 말을 이었다.

"그래서 애당초 이번 청부는 끝까지 받아들이지 말자고 했던 것이오. 우리가 상대하기 너무 벅찬 자들이라서 말이오. 이게 금적산의 청부만 아니었더라면 어떻게든 청부를 받아들이지 않았을 것이오."

"그래서 십팔혈면사신과 은면삼십육살(銀面三十六殺) 모두를 데리고 온 것 아니오? 거기에다가 우리 오마신(五魔神) 중 둘이나 오지 않았소? 그런데도 부족하다 하면……."

"부족하오. 철면구십구흉(鐵面九十九凶)은 물론, 다른 삼마신(三魔神)까지 모두 왔어야 하오. 본 막의 모든 병력을 총동원했어야 하오."

"흠. 아무래도 왕 형은 저들을 너무 과대평가하는 것 같구려. 당시 북경부에서 싸웠을 때 동창의 개입만 아니었더라면 놈들을 죽일 수 있었다고 보고를 받았는데……."

"그게 문제가 아니란 말이오."

"음?"

"나는 그 후로 놈들을 계속 추적하고 놈들의 정보를 챙기고 있었소. 최 형은 놈들이 무적가주를 살해하고 무적가를 반쯤 궤멸시키고, 거기에 철목가주마저 살해한 걸 모르잖소?"

"음? 그게 정말이오? 그렇다면 왜 이번 회의 때 말씀하지 않았소?"

"증거가 확실하지 않았기 때문이오."

왕 형이라 불린 자가 한숨을 쉬며 말했다.

"놈들이 그런 일을 저질렀을 거라는 정황 증거는 차고 넘치는데 직접적인 증거는 아무것도 찾을 수가 없었소. 그래서 차마 말하지 못했던 것이오."

"으음."

최 형이라 불린 자는 동료의 눈을 지그시 바라보았다. 무려 삼십 년 이상을 함께 부대끼며 살아온 동료였다.

살수나 자객의 생명은 짧다. 찻집에서도 싸우고 객잔에서도 싸우고 길가에서도 싸우고, 심지어 잠자리에서도 싸우는 강호인들보다 훨씬 더 짧다.

당연한 일이었다. 살수나 자객은 자신들의 무위보다 훨

씬 강한 자들을 암살하러 다녔고, 성공하는 자보다 실패하는 이가 더 많은 건 자명한 일이었다.

그 험난한 살수계(殺手界)에서 무려 삼십 년 이상을 죽지 않고 살아남았다는 건 그만큼 이 두 사람의 실력이 대단하다는 의미가 될 수 있었다.

하기야 그러니 천하 삼대 살수 조직 중 하나인 살막(殺幕)에서 최고의 신분이라 할 수 있는 오마신의 일원이 될 수 있었던 것이다.

그 동료가 지금 새하얀 얼굴로 계속해서 기습을 미루자고 하는 중이었다.

내 동료가 겁쟁이인가.

아니다. 그렇지 않았다. 그가 아는 한, 왕야상(王倻翔)은 언제나 먼저 움직였다. 지금까지 마흔두 번의 청부를 모두 완수한 자객이 겁쟁이일 리가 없었다.

"알겠소."

그는 고개를 끄덕였다.

"조금 더 완벽한 상황이 될 때까지 기습은 없는 걸로 합시다."

"고맙소. 내 의견을 받아 주어서."

"그럼 수하들을 뒤로 물리는 게 나을 것 같소. 혈면은 모르되 은면들은 저들과 너무 가까이 있는 것 같으니 말이오."

한 번 결정한 이상 머뭇거리거나 뒤돌아볼 필요가 없었다. 결정한 바에 따라 수하를 새로 배치하고 계획을 새로 세워야 했다. 그리고 최자(崔滋)는 능히 그럴 줄 아는 인물이었다.

"그렇게 합시다."

왕야상의 말에 최자는 손가락 길이만 한 피리를 꺼내 힘껏 불었다. 기이하게도 피리에서는 아무런 소리가 나오지 않았지만, 그의 수하들은 정확하게 그 피리 소리를 듣고 명령에 따라 천천히 후퇴하기 시작했다.

쏴아아!

쉴 새 없이 퍼붓는 폭우가 그들의 기척을 집어삼키고 있었다.

* * *

쏴아아아!

쉴 새 없이 쏟아지는 장대비로 인해 담우천과 장예추가 쓰고 있는 죽립에서 폭포수처럼 빗물이 쏟아졌다.

담우천과 장예추는 눈 하나 깜빡이지 않은 채 목표 지점을 향해 천천히 움직여갔다. 덤불에서 대략 십여 장까지 접근한 후, 두 사람은 잠시 그 자리에 멈춰 서서 덤불 속 상황을 살폈다.

덤불 안쪽, 장예추와 화군악이 만든 동굴처럼 본격적인 건 아니었지만 나름대로 은신할 수 있는 공간을 만들고 그 안에 대략 십여 명이 숨어 있었다.

그리고 그곳에서 약 사오 장 떨어진 또 다른 덤불에도 역시 십여 명가량의 인원이 몸을 웅크린 채 숨어 있었다.

'어느 방면의 인물들이지?'

장예추는 빗물이 최대한 뒤쪽으로 흐르게끔 죽립을 고쳐쓴 다음, 덤불 안쪽에 숨어 있는 자들을 주시했다.

기척을 숨기고 호흡을 감춘 것만 보면 살수나 자객일 가능성이 적지 않았다. 하지만 일개 살수나 자객이라고 하기에는 그들의 전신에서 흘러나오는 기도가 결코 만만치 않았다.

만약 저들이 살수라면 최고 수준의 살수일 것이고, 일반 무림의 고수라면 살수와 같은 훈련까지 받은 자들이리라.

장예추는 화군악에게 전음을 보냈다.

-어떻게 하죠?

차라리 한곳에 모여 있다면 설령 그 적의 수가 수십 명이라 하더라도 외려 더 수월하게 싸울 수 있었다. 그러나 이렇게 거리를 두고 두 패로 나뉘어 있다면, 기습을 하려다가 자칫 포위 공격을 당할 수가 있었다.

그러나 담우천의 생각은 전혀 다른 모양이었다.

-앞쪽부터 최대한 신속하고 조용히 해치우자.

그에게 있어서 포위 공격 같은 건 전혀 상상 밖의 일인 듯했다. 포위를 당하기 전에 해치우고 나머지를 상대하면 충분하다는 목소리였다.

장예추는 살짝 입술을 깨물었다.

-뒤로 돌아가서 최대한 가까이 붙는다. 공격은 내가 먼저 할 테니 바로 뒤따라와라.

담우천은 그렇게 전음을 보낸 후 방향을 바꿔 덤불 뒤쪽으로 움직였다. 장예추도 칼을 꺼내든 채 엉금엉금 기면서 그 뒤를 따랐다.

빗줄기가 더욱 격렬하게 쏟아지는 가운데 거리는 점점 좁혀졌다.

이윽고 이 장여, 한 번의 도약으로 놈들의 머리 위로 내려설 정도의 거리까지 좁혀든 순간, 담우천이 소리 없이 일어나 지면을 박차고 허공을 날았다. 장예추도 황급히 지면을 박차며 월야천비공(月夜天飛功)의 경공술을 펼쳤다.

폭우를 뚫고 순식간에 덤불 위로 날아든 두 사람은 거의 동시에 덤불 아래를 향해 칼을 휘둘렀다. 비에 흠뻑 젖은 풀과 나무, 넝쿨들이 종이처럼 잘리고 베어 나갔다.

그 아래 은신해 있던 십여 명의 사내들이 뒤늦게 고개를 쳐들었다.

콰콰쾅! 번쩍!

고막이 터질 것만 같은 굉음과 동시에 바로 지근거리에서 눈이 부실 정도의 번개가 작렬했다. 새파란 섬광이 칼날에 번뜩였다.

덤불 더미를 자르고 베어 낸 칼날에 반사된 놀란 저들의 얼굴!

담우천은 덤불 안쪽으로 뛰어들며 팽이처럼 칼을 휘둘렀다. 장예추는 구석진 자리에 숨어 있던 자들의 미간(眉間)을 정확하게 노리고 칼을 뻗었다.

비명 대신 피가 튀었다. 잘려 나간 살점이 허공을 가르고 분수처럼 뿜어나온 핏물이 곡선을 그렸다.

순식간에 대여섯 명이 목숨을 잃었다. 그제야 사내들은 정신을 차리고 황급히 칼과 검을 빼 들며 담우천과 장예추를 상대하려 했다.

그중 몇몇은 크게 고함을 쳐서 다른 덤불에 숨어 있는 동료들을 부르려 했다.

"기습…… 큭!"

"적이…… 읔!"

하지만 그들은 의도와는 달리 목을 부여잡고, 혹은 심장을 움켜쥐며 비틀거리다가 쓰러져야 했다.

담우천의 거궐은 지금 저 천지를 갈기갈기 찢어발기는 번개보다 빠르게 사내들의 목을 꿰뚫고 심장을 관통했다.

우르르! 번쩍!

다시 번개가 치는 가운데, 무너진 덤불 속에서는 사투(死鬪)가 벌어지고 있었다.

담우천과 장예추는 십 성 전력을 다해 사내들을 찌르고 베고 내리쳤다. 최대한 빨리, 또 다른 적이 눈치채기 전에 몰살시키겠다는 집념의 칼질이 허공을 가르며 사내들의 목을 베었다.

2. 생사여탈권(生死與奪權)

사내들은 제대로 무기 한 번 휘둘러 보지도 못한 채 속절없이 쓰러졌다.

사실 그들은 지금 이렇게 허수아비처럼 쓰러져 갈 수준의 실력은 절대 아니었다.

그저 자신들보다 강한 상대에게 뒤를 잡혔다는 것, 설마 감히 누가 자신들의 뒤를 칠까 하는 자만과 오만, 바로 그 방심의 결과가 이렇게 허무할 정도로 처참한 결과로 이어졌을 뿐이었다.

하지만 모든 사내들이 허수아비처럼 베어진 건 아니었다. 몇몇 사내들은 빠르게 상황을 파악하고 무기를 꺼내들며 자신을 보호하는 동시, 또 다른 자들은 품에서 비상

연락용으로 사용하는 폭죽을 꺼내 덤불 위로 발사하려 했다.

순간 장예추의 손목에서 빛이 새어 나오는가 싶더니 이내 샛노란빛을 내는 강환(罡環)이 발출되었다. 바로 염교(焰皎)의 고리였다.

염교의 강환은 소리 없이 허공을 긋더니, 폭죽을 꺼내려던 자의 목을 관통했다.

"크."

낮은 신음과 함께 사내는 목을 부여잡고 앞으로 꼬꾸라졌다. 들고 있던 폭죽이 바닥에 떨어졌다.

하지만 그 짧은 순간에도 사내는 폭죽에 불을 붙였고, 이내 폭죽이 불똥을 튀며 타올랐다.

파파팟!

"어딜!"

장예추가 낮은 호통을 치며 다른 손을 뻗었다. 달빛처럼 교교하고 투명한 빛의 강환이 소리 없이 폭죽으로 날아들었다.

빙월(氷月)의 강환은 정확하게 폭죽의 심지를 잘랐고, 다시 허공을 선회하여 장예추의 손목으로 돌아왔다. 마치 찰칵! 하는 소리가 들리는 것만 같았다.

담우천도 가만히 놀고 있지 않았다. 그는 앞으로 한 걸음씩 걸어 나가며 정면의 사내들을 베고 찌르고 그었다.

한 사람을 해치는 데 필요한 건 단 한 번의 칼질, 담우천의 거궐은 한 번 허공을 그을 때마다 정확하게 상대의 목과 심장을 찌르고 있었다.

덤불 더미 속에 숨어 있던 사내들이 몰살당한 건 그야말로 순식간의 일이었다. 무려 열두 명이나 되는 절정의 고수들은 담우천과 장예추의 일격도 막지 못한 채 그렇게 허무하게 목숨을 잃고 말았다.

"역시 좋은 검이다."

담우천은 아무렇게나 쓰러진 시신들 위에 우뚝 선 채 거궐을 내려다보며 중얼거렸다.

"이렇게 베었는데 기름 하나 핏물 하나 베지 않는군그래."

사람을 베거나 찌르게 되면 그 지방과 살점과 핏물로 인해서 칼날의 날카로움이 사라지게 된다.

뼈라도 베는 날에는 날이 상하고 무뎌지게 되고, 그렇게 몇 번 거칠게 칼을 사용하면 결국 그 칼은 베거나 찌르는 용도가 아니라 때려서 잡는 타병(打兵)의 역할만 하게 된다.

그래서 애당초 칼은 검과 달리, 베거나 찌르기보다는 때리고 후려치고 내리쳐서 그 타격으로 적을 쓰러뜨리는 데 적합하도록 만들어졌다.

그럼 한 자루의 검이나 칼로 몇 명의 사람을 벨 수 있을까.

상황이나 실력에 따라서 다르기는 하지만, 대저 다섯에서 열 명을 베고 찌르고 후려치면 더는 살상(殺傷)의 무기가 되지 못했다. 그 전에 반드시 칼날에 묻은 살점을 떼어 내고 지방과 핏물의 끈적임을 닦아야 했다.

하지만 거궐은 그럴 필요가 전혀 없었다.

사람의 몸을 베면서 칼날에 묻은 지방의 기름과 끈적이는 핏물은 거궐의 칼날 속에 생성된 좁쌀 같은 기포로 스며들었다가, 한 차례 검을 휘두르는 순간 사방으로 흩뿌려지면서 검날을 매끈하게 만들고 있었다.

"구야자가 그 원리를 알고 이런 식으로 검을 만들었을까?"

문득 궁금해졌지만 이미 구야자는 세상을 떠난 지 수백 년, 그 진실을 아는 이는 세상에 아무도 존재하지 않았다.

"다 죽었습니다."

즐비하게 쓰러진 자들에게 일일이 칼을 휘둘러 확실하게 절명시킨 장예추가 담우천에게 다가와 말했다.

"다음 덤불로 이동해야죠."

"그 전에."

담우천은 한쪽 무릎을 꿇고 죽은 자들의 앞섶을 헤쳐 무언가를 찾았다. 죽은 자들의 신원을 확인할 수 있는 증패나 표식을 찾는 것이었다.

하지만 결국 아무것도 찾아내지 못한 담우천은 가볍게 눈살을 찌푸리며 입을 열었다.

"다음 덤불에서는 두 명 정도 살려 두자. 어쨌든 알아내야 할 정보들이 있으니 말이다."

마치 덤불 더미에 있는 자들의 생사여탈권(生死與奪權)이라도 쥐고 있는 듯, 담우천은 그렇게 대수롭지 않은 표정으로 말했다.

"그렇게 하죠."

장예추 역시 한 치의 망설임 없이 대답했다.

두 사람은 덤불을 나와 다시 폭포처럼 쏟아지는 빗속에 몸을 숨겼다.

쏴아아아! 거친 폭우가 그들의 기척은 물론, 열두 명 사내들이 내지른 신음과 얕은 비명, 그리고 피 냄새까지 모두 지워 주는 가운데 담우천과 장예추는 천천히, 그리고 은밀하게 두 번째 덤불을 향해 움직이기 시작했다.

* * *

사람들은 각자 자리를 잡고 잠들었다. 끈질기게 칭얼거리던 보보나 곽정도 어느덧 잠들었고, 아이들을 챙기느라 피곤하고 지친 여인들도 잠에 취했다. 사십여 명의 무사들 역시 불침번을 서고 있는 무사들과 교대를 하기 전까지 꿀잠을 자고 있었다.

하지만 담호는 좀처럼 쉽게 잠을 청할 수가 없었다. 아무래도 덤불 위로 쉴 새 없이 퍼붓는 폭우 소리 때문인 모양이었다. 아닌 게 아니라 콩 볶는 소리처럼 덤불을 때리는 소리가 요란하게 울려 퍼지고 있었다.

담호는 불편한 자리에 누운 채 한동안 몸을 이리저리 뒤척거리며 자려고 애를 쓰다가 결국 포기하고는 천천히 몸을 일으켰다.

문충(蚊蟲:모기)을 비롯한 여러 곤충과 벌레들의 접근을 막기 위한 듯 동굴 곳곳에는 젖은 풀로 만든 모깃불이 연기를 내며 타고 있었다.

그리고 덤불 동굴 중앙에는 모닥불이 활활 타오르고 있었는데, 그 앞에는 만해거사가 홀로 앉아서 나뭇가지와 넝쿨을 넣으며 불을 관리하고 있었다.

담호가 일어나 조심스레 가까이 다가가자, 그가 등 뒤에 서기도 전에 만해거사가 입을 열었다.

"왜 안 자고?"

담호가 머쓱한 표정으로 그의 옆에 앉으며 말했다.

"잠이 안 와서요."

"왜?"

"모르겠어요."

"그럼 잠이 오는 약이라도 줄까?"

"그런 약도 있어요?"

"그럼. 세상에는 없는 약이 없단다. 수면제나 몽혼약(曚昏藥)은 물론, 사람의 혼을 빼앗아 내 것으로 만드는 최면약(催眠藥)도 있고, 심지어 정사를 하지 못하면 죽을 정도의 고통을 겪게 되는 음약(淫藥), 최음제(催淫藥)도 있지."

정사라는 말에 살짝 얼굴을 붉히던 담호는 문득 고개를 갸웃거리며 입을 열었다.

"그런데요. 지금 말씀하신 약들은 약이 아니라 독처럼 보이는데 왜 약이라는 이름이 들어가 있어요?"

"음?"

만해거사는 눈을 동그랗게 뜨고 담호를 돌아보았다.

"흠, 미처 그런 건 생각해 보지 않았는데. 그렇구나. 지금 네 이야기를 들으니 확실히 이상하기는 이상하구나."

만해거사는 고민하듯 이맛살을 모으며 잠시 생각했다. 담호는 가만히 그의 곁에 앉은 채 모닥불을 응시했다.

타타탁!

불꽃이 튀는 소리와 춤을 추는 모습이 한없이 평화롭기만 했다. 조금 전까지 들려오던 밖의 폭우 소리가 들리지 않고 있었다.

"흠…… 어쩌면 처음에는 순수하게, 사람들을 도와주려는 의도로 만들었기 때문이 아닐까?"

제법 적잖은 시간이 흐른 후 만해거사가 그렇게 불쑥 입을 열었다. 담호는 만해거사를 올려다보았다. 만해거사는 옅은 미소를 머금은 채 차분한 어조로 말을 이었다.

"잠이 오지 않아 괴로워하고 힘들어하는 불면증을 치료하기 위해 수면제가 생겼고, 또 음경(陰勁)에 문제가 있어서 발기되지 않아 성생활을 할 수 없는 자들을 위해 음약이 만들어졌던 거겠지. 그래서 처음에는 독이 아닌 약으로 사용되다가 세월이 흐르면서 사람들의 욕망과 탐욕으로 인해 독처럼 사용되기 시작한 게 아닐까?"

담호는 가만히 만해거사의 말에 귀를 기울였다.

확실히 일리가 있는 추측이었다.

처음에는 약이었다가 훗날 사람들의 이기심과 사심(邪心)으로 인해 독처럼 사용되었을 뿐이다. 즉, 처음 만들어졌을 때부터 독은 아니었던 것이다.

"결국 사람이 문제인 거네요."

담호가 조금은 우울한 목소리로 말했다.

"아무리 사람을 위해서 훌륭하고 좋은 걸 만든다 하더라도 그걸 사용하는 사람들이 제대로 사용하지 않는다면 결국 약도 독이 되듯, 최악의 물건이 될 수 있으니까요."

"흠, 그건 그렇지."

만해거사는 턱수염을 쓰다듬으며 말했다.

"처음에는 땅을 파고 나무를 베고 사냥을 하기 위해 만들어졌던 것들이 시간이 지나면서 사람을 찌르고 베는 흉기가 된 것처럼 말이다. 결국에는 어떤 용도로 만들어졌느냐 보다는 어떻게 사용하느냐에 따라서 그 물건의 가치가 달라지는 거겠지."

"역시 사람이 문제네요. 왜들 그렇게 나쁜 생각을 하는 걸까요?"

"사람이니까."

만해거사는 담호의 머리를 쓰다듬으며 말했다.

"사람은 감정의 동물이거든. 기뻐하고 슬퍼하고 두려워하고 행복해 하고 무서워하고 정(情)에 빠지고 질투하고 미워하고 사랑하고…… 그 모든 감정이 하나로 모여서 사람을 만들고 사람을 움직이게 하는 거란다. 생각하고 파악하고 판단하고 구분하고 결정하는 것 같은 논리와 이성은 학습과 훈련을 통해 배우고 쌓여서 만들어지는 거고."

담호는 문득 보보를 떠올렸다.

아직 말도 하지 못하는 아기인 보보는 언제나 제 감정에 충실했다. 웃고 싶을 때는 웃고 울고 싶을 때는 울었다. 울지 말아야 할 때라고 해서 울지 않거나 웃으면 안 되는 상황이라고 해서 웃지 않는 식의 그런 분별력은 전혀 없었다.

"사람은 자라나면서, 사랑을 받으면서, 교육을 받으면

서, 가르침을 받으면서 차츰차츰 쉽게 감정에 휘둘리지 않고 이성적으로 행동하고 생각하게 된단다. 하지만 가끔은 제대로 가르침을 받지 못하거나 혹은 제대로 사랑을 받지 못한 상태로 어른이 되는 경우가 있지. 그리고 그런 어른들은 쉽게 감정에 휘둘리게 된단다."

물론 갑자기 폭력적으로 변하거나 쉽게 우울해지거나 기뻐하는 등 감정을 제대로 제어하지 못하는 질병도 있기는 했다.

하지만 대부분의 사람은 그런 질병 때문이 아니라, 타고난 성격과 본능, 자라면서 겪은 외부로의 영향으로 인해 폭발적인 감정을 갖게 된다.

"그 감정 중에는 좋은 감정도 있겠지만 나쁜 감정도 있지. 그리고 나쁜 감정에 휘말리고 자신을 잃어버린 사람들은 결국 세상 사람들이 질타하는 그런 악행을 저지르게 된단다."

만해거사는 잠시 말을 멈췄다가 천천히 이어 나갔다.

"하지만 그런 사람들도 결국에는 우리와 같은 사람인 게다. 어디서 삐끗했는지, 어디서부터 빗나갔는지는 모르지만, 처음에는 우리와 하나 다를 바 없는 같은 사람인 게지."

담호는 만해거사의 말이 이해될 것 같으면서도 쉽게 이해가 가지 않았다.

'그러니까 나쁜 사람이 되기 전에 제대로 가르치고 사랑해야 한다는 건가? 아니면 나쁜 사람도 나와 같은 사람이니 그들의 감정을 이해해 줘야 한다는 걸까?'

그가 고개를 갸웃거리며 입을 열려고 할 때였다.

"쉿."

만해거사가 나지막한 소리를 냈다. 줄곧 담호를 내려다보던 만해거사의 부드러운 시선은 어느새 예리한 빛을 띤 채 동굴 밖을 주시하고 있었다.

담호도 입을 다물었다. 그러고는 배운 지 얼마 되지 않은 천조감응진력을 일으켜 밖의 상황에 집중했다.

갑자기 전혀 들리지 않던 동굴 밖 폭우 소리가 요란하게 들려왔다. 마치 지금 막 폭우가 쏟아지기 시작한 것처럼.

3. 겁쟁이란 말이지

지금 담호가 펼치는 천조감응진력은 강만리가 가르쳐 준 여러 무공 중 하나였다.

올 초, 그러니까 아직 화평장을 떠날 계획이 없었던 그때 강만리가 문득 담호를 불러 책자 한 권을 건네며 이렇게 말했다.

"나는 늦게 배워서 대성하지 못했지만, 너라면 충분히

이것들을 완벽하게 깨우칠 게다. 보고 모르면 물어보고."

얼마나 오랫동안 가지고 있었을까. 또 얼마나 읽고 또 읽었을까.

강만리가 내준 책자는 형편없이 낡아 있었다. 담호는 가만히 책자의 겉표지를 내려다보았다.

〈경천십삼무결록(驚天十參武訣錄)〉

부드럽고 우아하며 둥근 글씨체로 보아 여인이 쓴 글자 같았다. 책자 속의 글씨도 마찬가지였다. 깨알처럼 조그많게 쓴 글자들은 한없이 다정하며 온화하게 느껴졌고, 심지어 달콤한 애정이 담겨 있는 것 같았다.

담호는 조금은 놀란 눈으로 강만리를 쳐다보았다. 강만리는 머쓱한 표정을 지으며 말했다.

"네 아버지에게 많은 걸 배우겠지만, 그래도 숙부 된 도리로 뭔가 새해 선물을 줘야 할 것 같아서 말이다."

"고맙습니다."

담호가 고개를 꾸벅 숙였다.

"조심히 봐라."

강만리는 솥뚜껑 같은 손으로 담호의 머리를 쓰다듬으며 말했다.

"네게 필요가 없게 되면 네 동생 아창이나 내 아들 아정에게도 물려줘야 하니까.”

담호가 웃으며 대답했다.

“네. 소중하게 챙길게요.”

* * *

그리고 칠 개월이 흘렀다.

담호의 천조감응진력은 이제 사 성가량에 이르렀다. 객청 밖 앞마당에서 홀로 마보를 수련하고 있을 때도 복도 안쪽의 침소에서 잠에서 깨어난 보보가 칭얼거리는 소리를 들을 수 있을 정도의 수준이 되었다.

담호는 더욱 집중하여 밖의 기척을 살폈다. 일순 그의 귀가 쫑긋거렸다. 뭔가 은밀하게 움직이고 있었다.

쏟아지는 폭우 사이를 헤집고 천천히 다가오는 기척이 있었다. 그것도 결코 적지 않은 수의 기척이, 무려 열 개가 넘는 기척이 덤불 주변에서 느껴졌다.

“적인가요?”

담호가 낮은 목소리로 묻자 만해거사가 고개를 끄덕이며 대답했다.

“열다섯이로군.”

담호는 일순 움찔거렸다.

최소한 열은 넘는 것 같다고 파악한 담호와는 달리 만

해거사는 정확하게 그 수를 헤아리고 있었다.

천조감응진력이라는 무공을 배우지 않았음에도 불구하고 만해거사는 뛰어난 집중력과 청력만으로 그 모든 걸 파악했다.

역시 연륜과 경험, 그리고 무위의 차는 쉽게 넘을 수가 없는 법이었다.

"갑자기 쳐들어올까요?"

담호는 힐끗 뒤를 돌아보며 소곤거렸다.

그가 바라본 방향으로 나찰염요와 소화, 그리고 담창과 보보가 잠들어 있었다. 그리고 방심한 듯 놓여 있는 한 자루의 칼, 귀멸파풍도.

'바보다, 나는.'

담호는 입술을 깨물었다.

무인이라면, 칼을 다루는 자라면 잠을 잘 때도 놓지 않아야 하는 게 자신의 애병이었다. 그런데 담호는 동굴 안이라고, 식구들과 함께 있다고 그만 방심하여 칼을 홀로 놔둔 채 이렇게 맨손으로 앉아 있었다.

담호는 자리에서 일어나 홀로 떨어져 있는 귀멸파풍도를 주우려 했다.

"앉아라."

만해거사의 말이 그를 더는 움직이지 못하게 했다. 담호는 입술을 꾹 깨문 채 자리에 앉았다.

"우리가 저들의 기척을 알 듯 저들도 우리의 기척을 알고 있을 게다."

담호는 고개를 숙인 채 묵묵히 들었다.

"네가 움직이면 그 기척을 눈치채고 잔뜩 긴장하고 방비할 터, 그대로 앉아 있거라."

"하지만 칼이……."

"아직 네게는 칼이 필요 없단다."

긴장한 와중에서도 만해거사는 자애롭게 미소 지으며 말했다.

"이렇게 어른들이 많은데 어찌 네게 칼을 쥐게 하겠느냐? 그러니 걱정하지 마라."

담호는 만해거사의 말에 뭔가 뼈가 있음을 깨닫고 다시 주변을 둘러보았다. 이내 담호의 눈이 휘둥그레졌다.

푹 잠든 줄 알았던 나찰염요가 담호와 눈이 마주치자 한쪽 눈을 찡긋거렸다. 자세히 보니 당혜혜나 정소흔도 실눈을 뜨고 있었다.

화군악과 정유도 마찬가지였다. 언제부터인지는 모르겠지만 그들 모두 이미 잠에서 깬 상태였다.

"어쨌든 우탕탕탕 기습하지는 않을 것이다."

만해거사의 낮은 목소리에 담호는 퍼뜩 정신을 차렸다.

"밖에 불침번을 서는 무사들의 눈을 피해 예까지 접근

한 놈들이다. 당연히 은밀하게 이 안으로 들어와 아무도 모르게 우리들의 목을 베려 할 것이야."

"그럼 이제 어떻게 하나요?"

"글쎄다."

만해거사는 힐끗 동굴 주변 곳곳에서 연기를 내며 피어오르는 모깃불들을 바라보며 중얼거렸다.

"참, 약은 먹었느냐?"

"네, 할아버지."

"그럼 뭐, 잠자코 기다리는 게 우선이겠구나."

만해거사는 다시 한번 담호의 머리를 쓰다듬으며 웃었다.

"잘 보고 기억해 두거라. 적을 제대로 알지 못하는 상황에서 싸우는 것처럼 어리석은 게 없다는 걸 말이다."

* * *

"아무리 생각해도 겁쟁이란 말이지."

등활은 그렇게 제 상관을 평했다.

다른 사람들이야 등활의 상관, 즉 북방흑제 현명군을 가리켜 인내심 깊고 끈질기며 신중하기 그지없는 자라고 이야기하지만 결국 등활이 보기에는 겁쟁이에 불과했다.

"만 명을 모아서 오십 명을 해치는 걸 누가 못하겠나?

무조건, 반드시 이길 상황까지 기다리고 기다렸다가 싸우는 건 삼척동자(三尺童子)도 할 수 있을 것이다."

그래서였다. 지금 이렇게 등활이 자신의 심복들만 데리고 이 덤불숲 가까이 다가온 것은.

예상대로 덤불숲 주변에서 불침번을 서고 있는 자들은 등활과 수하들의 움직임을 전혀 알아차리지 못했다.

당연한 일이었다. 등활은 한때 구천십지백사백마로 불리는 사마외도의 절정 고수 중에서도 상위에 속하는 고수였고, 그의 심복은 등활과 비교해도 그게 뒤떨어지지 않는 실력자들이었으니까.

어느새 밤은 깊었다. 거센 폭우는 여전했고, 사위는 칠흑 같은 암흑에 휩싸여 있었다. 낮에 그토록 내리치던 번개도 드문드문 떨어졌으니, 이제 등활과 수하들의 움직임은 그 누구도 알아차릴 수 없었다.

'다들 잠들었군. 두 명…… 보아하니 노인과 손자 정도 되겠군.'

등활은 덤불의 동굴 속 모닥불 앞에 앉아 있던 만해거사와 담호의 기척을 정확하고 예리하게 파악했다. 사람의 수는 물론 심지어 나이까지 제대로 들어맞았다.

'역시 별것 없는 작자들이다. 기껏해야 한두 명 정도만 경계하면 나머지는 뭐…….'

등활은 그렇게 생각하며 고갯짓을 했다. 그의 신호를

받은 심복 열셋이 곧바로 덤불숲에 찰싹 달라붙는가 싶더니 놀랍게도 마치 빗물처럼 덤불 안쪽으로 흘러들었다.

'놀고만 있지들 않았구나.'

등활은 수하들이 시야에서 사라지자 만족한 듯 고개를 끄덕이고는 자신 또한 덤불숲 가까이 몸을 들이밀었다.

동시에 그는 언젠가 소공자의 하인, 혈혼암귀가 보여주었던 그 사술과 비슷한 모습으로, 그림자처럼 혹은 빗물처럼 덤불 안 공간으로 스며들었다.

넝쿨과 풀, 조그만 나무들이 얽히고설켜 만들어진 숲이었다. 칼로 베고 자르면 비집고 들어갈 수 있겠지만, 그냥 그대로라면 토끼조차 그 안으로 들어갈 수 없을 정도로 촘촘하게 얽혀 있었다.

하지만 등활과 심복들은 마치 물이 흐르는 것처럼 혹은 그림자가 스며드는 것처럼 그 좁고 촘촘한 틈과 틈 사이를 빠져나가, 이윽고 강만리들이 인위적으로 만든 동굴 안쪽까지 파고들었다.

모닥불은 환했고 곳곳에 피워 놓은 모깃불들의 연기가 매캐했다. 잠든 사람들은 누구 하나 등활과 수하들의 움직임을 눈치채지 못했고, 모닥불 앞에 앉아 있는 노손(老孫) 또한 등활이 바로 등 뒤까지 다가가는 동안에도 전혀 알아차리지 못했다.

'이건 식은 죽 먹기보다 더 쉽지 않은가?'

등활이 그런 생각을 하며 두 손을 뻗어 노인과 소년의 명문혈을 찍으려는 순간이었다.

"으음."

희미한 신음이 여기저기에서 들려왔다. 등활은 멈칫거리며 주위를 둘러보았다. 일순 그의 눈이 휘둥그레졌다.

잠들어 있던 자들을 죽이기 위해 칼과 검을 빼 들었던 그의 수하들이, 외려 의미한 신음을 흘리며 그대로 바닥에 꼬꾸라지고 있었다.

'무, 무슨?'

등활이 갑작스러운 변괴에 크게 당혹해할 때였다. 갑자기 눈앞이 어지럽고 정신이 몽롱해지며 사지에서 힘이 쭉 빠졌다.

'설마 독?'

등활은 그제야 메케한 연기를 내는 모깃불들이 생각보다 훨씬 많이, 그리고 촘촘히 피워져 있다는 사실을 깨달았다.

'이런!'

등활은 함정이다 싶어 얼른 그곳을 빠져나오려 했다.

하지만 그는 지금 자신의 상황이 현실인지 꿈인지 알 수 없었고, 지금 자신이 서 있는지 누워 있는지, 정신이 있는지 혼절했는지도 전혀 알지 못하게 되었다.

그 와중에 등활은 언젠가 들은 바 있는 기이하고도 신

비한 독의 이름을 떠올렸다.

'서, 설마 환빈야연…….'

그게 등활의 마지막 생각이었다.

* * *

한밤중의 연회(宴會)에 누구를 초대하려나.

벗이라면 술을 대접하고

귀한 손님이라면 술과 음식을 대접하고, 초대하지 않은 손님이라면 환빈야연(歡賓夜宴)을 대접해 드리지.

10장.

하나, 둘, 넷, 둘, 하나

"아무리……."
아무리 강 형님이라도 혼자서 건곤가를 상대할 수는 없는데요?
아마도 설벽린은 그렇게 말하려 했을 것이다.

1. 놀기 좋아하는 세 사람

환빈야연(歡賓夜宴).

한밤중의 연회에 찾아온 손님을 환영한다는 뜻을 가진 환빈야연은 실상 사천당문의 십대절독 중의 하나였다.

무색무미무취(無色無味無臭)의 환빈야연은 모래나 먼지처럼 미세한 분말 형태로 되어 있었다.

그 분말 가루를 창가나 문 주위에 뿌려 놓으면 문이 열리기 전까지 한없이 그 자리에 가만히 머물고 있다가, 누군가 안으로 들어오기 위해 문을 열면 마치 몰래 들어온 손님을 환영하듯 연기로 변해 주변을 에워싸는 게 바로 환빈야연이었다.

오래 기다리면 기다릴수록 독이 쌓이고 쌓여 더욱 강력해지는, 그래서 단 한 호흡만을 들이켜도 열 걸음 안에 목숨을 잃게 만드는 절명(絕命)의 극독(劇毒).

적에게 선제공격은 할 수 없으나 방어로만 치자면 단 한 줌의 가루만으로 수십만 대군이 수성(守城)하는 듯한 위력을 보여 준다는, 최고의 수호독(守護毒)이기도 했다.

당혜혜는 그 기존의 방법 대신 모깃불을 피우고 그 젖은 풀에 환빈야연을 뿌려 두었다. 환빈야연은 곧 연기로 변했고 얼기설기 엮인 덤불의 틈을 타고 흘러 나가 주변으로 천천히 퍼졌다.

그러니 등활과 그의 심복들이 이 동굴 안으로 들어서기 전, 그러니까 덤불 사이를 비집고 안으로 들어오는 동안 이미 그들은 환빈야연에 중독되었던 것이다.

십여 명의 초대받지 않은 불청객들이 차례로 쓰러졌다. 당혜혜로부터 미리 환빈야연의 해약(解藥)을 받아 복용한 후, 잠든 척 누워 있던 화평장 식구들이 하나둘씩 천천히 몸을 일으켰다.

"이야, 역시 소문대로네. 손 한 번 까딱이지 않고 침입자를 모두 해치우다니……. 왜 세상 사람들이 사천당문을 경외하는지 알 것 같네."

화군악의 말에 정소흔이 그의 옆구리를 툭 쳤다. 화군

악은 슬쩍 당혜혜의 눈치를 보며 헤헤 웃었다.

당혜혜는 전혀 신경 쓰지 않은 채 쓰러진 자들에게 다가가 검과 칼을 한쪽으로 치웠다.

양위도 일어나 그들의 품을 뒤졌다. 돈이나 중요한 물건을 챙길 겸 그들의 신분을 알아낼 증패를 찾는 것이었다.

"놀랍지 않느냐?"

만해거사가 담호를 향해 소곤거렸다.

"아무것도 하지 않은 채 그냥 기다리기만 했을 뿐인데 놈들이 알아서 쓰러지는 게다. 이게 바로 진정한 독의 위력이자 무서움인 게지."

담호는 기가 질린 듯 아무 말도 하지 못하고 있었다. 만해거사는 힐끗 당혜혜의 뒷모습을 바라보며 나지막하게 말했다.

"네 장 숙모의 가문이 소수의 인원임에도 불구하고 강호에서 가장 강력한 힘을 지닌 세력 중 하나로 인정받는 게 바로 저런 모습 때문이지."

여전히 담호는 아무런 대꾸도 하지 않았다.

사실 담호는 그 환빈야연의 엄청난 위력에 놀라거나 당황하거나 겁먹은 게 아니었다. 그저 그는 안타까운 마음과 아쉬움, 그리고 석연치 않은 감정에 휩싸여 아무 말도 하지 못할 따름이었다.

'저렇게 독이 강하다면, 그래서 아무리 무공이 강한 자라 할지라도 한순간에 목숨을 잃을 정도로 위력이 강하다면…… 도대체 왜 그 고생을 해 가면서 무공을 익혀야 하지?'

그런 의문이 어린 담호의 머릿속을 어지럽게 맴돌고 있었다.

독만 자유자재로 사용하고 하독할 줄 안다면, 세상에 두려울 게 전혀 없을 것 같았다.

독을 한 번 뿌리는 것으로 주변 모든 것이 초토화되고, 독을 한 번 뿌리는 것으로 그 누구도 범접할 수 없을 터이니 그야말로 천하제일인이라 해도 과언이 아닐 듯싶었다.

그렇게 담호가 조금은 우울한 표정을 짓고 있을 때였다.

"아, 조금 전 이야기 말인데."

어느새 설벽린이 모닥불 앞으로 다가와 앉으며 담호에게 말을 건넸다.

"네?"

담호는 화들짝 놀라며 그를 돌아보았다.

"응? 무슨 생각을 그리 깊이 하고 있어?"

"아, 아무것도 아니에요. 그런데 뭐가요?"

설벽린은 담호가 살짝 붉어진 얼굴로 도리질을 하는 모

습을 물끄러미 지켜보다가 이내 활짝 웃으며 말했다.

"조금 전 만해 사부와 나눴던 대화 말이다."

담호의 얼굴이 더 붉어졌다.

"다 듣고 계셨어요?"

"나만 들었겠니? 여기 있는 어른들 모두 듣고 있었지."

설벽린의 말에 담호는 더욱 얼굴이 시뻘겋게 변했다. 쥐구멍이라도 있으면 들어가고 싶은 심정이었다.

설벽린은 유쾌하게 웃으며 담호의 등을 두드렸다.

"참 창피해할 것도 많다. 네 고민은 하나도 창피하지 않은 거니까 그렇게 얼굴 붉히지 않아도 된다."

"그게 아니라……."

담호는 말꼬리를 흐렸다.

당연히 자신의 고민이 창피한 게 아니다. 그저 자신이 진지하고 고민하는 걸 다른 사람들이 지켜보고 있었다는 게 창피했을 뿐이다.

설벽린은 더욱 유쾌한 얼굴로 말을 이었다.

"사람이 감정의 동물이기 때문에 그 감정에 따라 선해지기도 하고 악해지기도 한다고, 만해 사부가 말씀하셨지? 뭐, 틀린 말씀은 아니지만 맞는 말씀도 아니다. 그러니 무시해도 좋다."

"뭐야?"

듣고 있던 만해거사가 눈살을 찌푸렸지만 설벽린은 한

차례 어깨를 으쓱하고는 계속해서 담호에게 말했다.

"사람 중에 선한 사람이 있고 악한 사람이 있는 건 세상이 원래 그렇게 만들어졌기 때문이다. 사람이고 뭐고, 모든 게 그리되도록 만들어졌기 때문이다. 하나, 둘, 넷, 둘, 하나. 그게 만고(萬古)의 진리(眞理)인 거야."

'하나, 둘, 넷, 둘, 하나?'

담호가 속으로 의아해했다.

"음? 그게 무슨 뜻인가?"

궁금함을 참지 못한 만해거사가 담호보다 먼저 물었다. 설벽린은 담호를 보며 차분한 어조로 설명했다.

"아주 열심히 일하기로 유명한 꿀벌들 열 마리를 가둬 놓고 그 움직임을 지켜보면, 의외로 열심히 일하는 놈이 따로 있고 노는 놈이 따로 있다는 거야."

"호오, 그런가?"

"네, 사부."

설벽린은 처음으로 만해거사를 돌아보며 말했다.

"한 놈은 지도자급으로 열심히 일한다고 합니다. 두 마리는 신도(信徒)처럼 그를 따라 움직이고요. 반대로 다른 한 마리는 아주 게을러서 놀고먹기만 하죠. 다른 두 마리는 그를 따라 놀고먹고요. 나머지 네 마리는 어느 쪽의 힘이 세냐에 따라 좌고우면(左顧右眄)하는 족속들이죠."

생전 처음 들어 보는 이야기에 만해거사는 긴가민가한

표정으로 설벽린에게 물었다.

"흠, 그 이야기 진짜인가?"

"그럼요. 그리고 이건 꿀벌뿐만 아니라 세상 이치가 다 그렇게 되어 있는 겁니다."

설벽린은 당당하게 말을 이어 나갔다.

"사람들도 마찬가지입니다. 열 사람을 가둬 놓고 보세요. 한 명은 정말 착하고 두 명은 그냥 착하고, 다시 한 명은 진짜 나쁘고 두 명은 조금 나쁘고, 나머지 네 명은 평범한 보통 사람일 겁니다."

"흐음."

설벽린이 계속해서 말했다.

"그건 나쁘고 착한 것만의 구분이 아닙니다. 성격도, 식성도, 성향도 다 그렇게 구분됩니다. 심지어 성적 성향도 그렇게 구분되더군요."

"호오."

성적 성향이라는 말에 만해거사의 눈빛이 반짝이고 담호의 볼이 붉게 물드는 순간이었다. 화군악이 갑작스레 끼어들며 그들의 대화를 방해했다.

"뭘 그렇게 쓸데없는 이야기를 아직까지 나누고 있어요? 다른 사람들은 다들 바쁘게 움직이는데."

그는 피식 웃으며 말했다.

"뭐, 놀기 좋아하는 한 명의 주동자와 그를 따르는 두 사람이라면 확실히 누구인지 알 것 같기는 하지만 말입니다."

일순 설벽린과 만해거사, 그리고 담호의 얼굴에 겸연쩍은 빛이 새빨갛게 피어올랐다.

2. 선봉장(先捧將)

"으음."

한쪽 구석으로 가지런히 놓인 열네 구의 시신을 내려다보던 만해거사가 문득 그중 한 명의 얼굴을 보고는 저도 모르게 신음을 흘렸다.

"이자의 얼굴, 왠지 눈에 익군그래."

"알아보시겠습니까?"

양위가 묻자 만해거사는 턱수염을 매만지며 기억을 더듬었다.

동굴 속 화평장 사람들은 모두 바쁘게 움직이는 중이었다. 시신들의 품에서 찾아낸 금은(金銀)과 비상품들을 정리하기도 했고, 한쪽으로 치워 둔 칼과 검, 비수와 암기들 중 자신이 쓸 만한 것들을 고르기도 했다.

당혜혜는 곳곳의 모깃불들을 확인하며 그 위로 분말 가루를 조금씩 뿌려 두었다. 분말 가루의 연기가 허공으로,

그리고 덤불숲 곳곳으로 퍼져 나갔다.

물론 이 와중에도 여전히 잘 자는 이들도 있었다. 담창이나 보보 같은 아이들은 물론, 초목아나 심지어 곧 교대를 해야 할 무사들 몇몇도 코를 골며 잠들어 있었다.

하지만 그 무사들은 곧 만해거사의 탄성에 화들짝 놀라며 자리에서 일어나야만 했다.

"그렇군!"

만해거사가 주먹으로 손바닥을 내리치며 크게 고개를 끄덕였다. 그의 목소리에 놀라 잠에서 깬 무사들이 황급히 무기를 집어 들고 주위를 둘러보았다.

그러거나 말거나 만해거사는 예의 그 등활의 얼굴을 내려다보면서 눈빛을 반짝였다.

"정사대전 당시 한 번 마주친 적이 있네. 아주 당차고 과감하며 저돌적인 자였지. 그래서 꽤 젊은 나이에 구천십지백사백마의 인명록(人名錄)에 이름을 올리기도 했고."

양위와 함께 서 있던 화군악이 궁금증을 참지 못하겠다는 듯 서둘러 물었다.

"그래서 누군데요?"

"벽력귀마도(霹靂鬼魔刀) 소등재(蘇藤載). 아주 괴력의 힘을 지닌, 그래서 한 번 칼을 휘두르면 베지 못하고 박살 내지 못하는 게 없던 마인(魔人)일세."

만해거사는 감회 가득 담긴 눈빛으로 등활을 내려다보며 말을 이었다.

"말하자면 선봉장 같은 자였네. 언제나 제일 먼저 달려와 아군을 향해 그 괴력의 칼질을 퍼붓지. 아군이 그를 막지 못해 쩔쩔매면 그만큼 적들의 사기가 높아지고. 흠, 그 괴력의 마인이 칼질 한 번 제대로 하지도 못한 채 이렇게 쓰러지다니…… 세상 참."

만해거사는 말꼬리를 흐렸다.

"아니, 그런데 왜 구천십지백사백마의 고수가 우리를 치는 건데요?"

설벽린이 의아한 표정을 지으며 묻자, 화군악이 알겠다는 듯 고개를 끄덕이며 대답했다.

"건곤가 놈들입니다."

"응? 건곤가?"

"네. 예추가 그랬거든요. 건곤가에 구천십지백사백마를 비롯한 사마외도의 고수들이 있다고요."

"으음……."

설벽린은 언젠가 들은 기억이 나는 양 머리를 긁적였다. 만해거사가 고개를 끄덕이며 말을 받았다.

"사실 바로 그러한 이유에서 우리 붕방의 늙은이들이 오대가문과 태극천맹과 척을 지게 되었다네."

"아, 붕방분들도 알고 계셨습니까?"

"확실하지는 않지만 그런 낌새를 눈치챘거든. 오대가문 사람들이 사마외도의 비급이나 무공은 물론, 심지어 그쪽 고수들까지 수하로 부리는 것 같다는."

"아아……."

"뭐, 정사대전이 끝난 후 논공행상을 통해 각자 원하는 걸 얻게 된 오대가문이기는 하지만, 그렇다고 사마외도의 사람들까지 끌어들여 같은 패거리로 만든다면…… 기껏 우리가 목숨을 걸고 싸웠던 이유가 전혀 없는 게 되어버리지 않느냐?"

"그렇겠군요."

"물론 한 번 나쁜 놈은 영원히 나쁜 놈이니 무조건 죽이고 없애야 한다는 건 아니다. 하지만 나쁜 놈을 우리 편으로 만들려면 최소한 그들을 교화시키려는 노력이라도 해야 하지 않겠느냐?"

"흠, 그것도 그러네요."

"하지만 오대가문은 그런 것 없이 그저 당근과 채찍만으로 그들을 수족으로 부렸고, 우리 붕방 늙은이들이 그런 증거를 찾아내 항변했지. 하지만 오대가문은 철저하게 자신들의 짓이 아니라고 부인했네."

만해거사는 한숨을 쉬며 힘없이 말을 이었다.

"그 이후, 오대가문의 말을 믿는 동료들, 그리고 믿지 않는 동료들끼리 설전이 벌어졌고…… 그렇게 내분이 일어난 참마붕방은 결국 해체되다시피 해서 이제 그 명맥조차 희미하게 되었지. 나나 유 노대, 그리고 저기 초 늙은이는 그런 동료들의 내분을 보면서 충격을 입고 은거한 게고……."

"그렇게 된 거로군요."

설벽린이 고개를 끄덕일 때였다. 화군악이 문득 눈빛을 반짝이며 입을 열었다.

"어쨌든 이자들이 건곤가의 수하들이라면, 그리고 벽력귀마도라는 이자의 성향이 선봉장에 가깝다면, 곧바로 놈들의 다음 공격이 이어지겠군요."

"아마도 그럴 것이네."

만해거사는 신중하게 말했다.

"아마 이자들은 우리의 병력과 무력이 어느 정도인지 확인하기 위해 투입된 자들일 걸세. 만약 자신들끼리 싸워서 승산이 있다고 생각하면 바로 싸우고, 그렇지 않다면 물러나려 했겠지."

"하지만 마침 우리에게는 환빈야연이 있었고요. 그리고 앞으로 계속 찾아올 불청객들도 환빈야연이 반겨 줄 테겠죠."

설벽린의 말에 화군악이 가볍게 눈살을 찌푸리며 말을 이었다.

"그건 아닌 것 같아요, 설 형님."

"응? 왜?"

설벽린이 의아함을 표하자 화군악의 말이 계속 이어졌다.

"선봉대가 몰살한 걸 알게 된다면, 더는 기습을 하지 않을 테니까요. 아마도 전력을 동원해서 한꺼번에 달려들 것이고, 이 덤불숲을 송두리째 박살 낼 겁니다. 그렇게 되면 환빈야연의 연기는 저 거센 폭우 앞에서 무용지물이 될 테고요."

화군악의 말에 사람들은 저도 모르게 고개를 돌려 당혜혜를 돌아보았다.

당혜혜는 침착한 표정으로 고개를 끄덕이며 입을 열었다.

"맞아요. 환빈야연의 가장 큰 약점이 바로 폭우거든요."

환빈야연의 분말 가루든 연기든, 그 극독의 효능을 발휘하기 위해서는 반드시 상대가 코나 입으로 그것들을 흡입해야 했다.

하지만 비가 쏟아지면 연기나 가루는 공기 중으로 퍼지는 대신 지면에 가라앉고 빗물에 녹아들었다. 그야말로 사람의 흡입을 원천 봉쇄하는 격이 되는 것이다.

"으음, 그런 단점이 있었네요. 그러고 보면 정말 완벽한 건 세상에 없나 봅니다."

설벽린이 저도 모르게 중얼거렸다. 문득 화군악이 주위를 둘러보며 물었다.

"그나저나 강 형님은 아직 안 돌아오신 겁니까?"

"흠, 정유와 함께 불침번을 서는 게 아니었나?"

만해거사가 되물을 때였다. 호랑이도 제 말 하면 온다고, 마침 불침번의 교대를 위해 정유가 동굴 안으로 들어섰다.

정유는 여전히 퍼붓는 폭우에 흠뻑 젖은 죽립과 우장을 벗다가 안의 상황을 보고는 깜짝 놀라고 말았다.

"적이 기습했습니까?"

"이런, 그것도 모르고 있었나?"

설벽린이 눈살을 찌푸리며 말하자 정유의 얼굴이 딱딱하게 굳어졌다.

이번 불침번 조의 책임자는 다름 아닌 정유 본인이었다. 자신이 책임을 맡고 있었음에도 불구하고 경계가 뚫리고 적이 쳐들어왔다는 건, 확실히 크게 문책을 받아야 마땅한 일이었고 무엇보다 정유 자신이 용납할 수 없는 잘못이었다.

그는 곧바로 허리를 굽히며 사과했다.

"죄송합니다. 조금도 방심하지 않고 있었는데도 적의 기습을 눈치채지 못했습니다. 제 잘못이 큽니다."

그의 통렬한 사과에 설벽린이 머쓱한 표정을 지었다.

나름대로 농담을 한다고 한 말이었는데 상대가 진심으로 받아들인 게다. 설벽린이 어색하게 웃으며 말했다.

"아니, 그렇게까지 사과할 건 아니야. 환빈야연 덕분에 다친 사람 한 명도 없이 모조리 몰살시켰으니까."

만해거사도 위로하듯 말했다.

"우리가 경비를 서고 있었더라도 전혀 눈치채지 못했을 거네. 어쨌든 적은 구천십지백사백마 중 한 명이었으니까."

"으음."

정유는 고개를 숙인 채 입술을 깨물었다.

삽시간에 분위기가 싸늘하게 가라앉는 걸 본 화군악이 얼른 화제를 돌렸다.

"그나저나 강 형님은요?"

정유는 고개를 들지 못한 채 대답했다.

"몰라. 주변을 경계한다며 홀로 움직였는데 아직 돌아오지 않았다."

"설마 무슨 일이라도 생긴 건……."

"헛소리!"

설벽린의 말에 만해거사가 꾸짖듯 말을 잘랐다.

"무슨 일이 생길 게 어디 있다고 함부로 그리 말하느냐? 다름 아닌 강 장주가 아니더냐?"

"아무리……."

아무리 강 형님이라도 혼자서 건곤가를 상대할 수는 없는데요?

아마도 설벽린은 그렇게 말하려 했을 것이다.

하지만 자신을 향해 부릅뜬 만해거사의 눈빛을 보고, 그리고 조금 떨어진 곳에서 안절부절못하는 예예의 표정을 보고는 황급히 입을 다물었다. 그러고는 헤헤 웃으며 얼른 말을 바꿨다.

"맞습니다. 아무리 건곤가라 하더라도 감히 우리 강 형님을 해칠 수 있겠습니까?"

"제발 좀!"

만해거사가 눈을 부라리며 이를 갈듯 속삭였다.

"함부로 좀 말하지 마라. 그리고 제발 단어 선택에도 유의하고."

설벽린은 무안한 표정을 지으며 입을 삐죽였다.

3. 청련(靑蓮)과 홍련(紅蓮)

"뭐라고?"

현명군은 어이가 없다는 얼굴로 물었다.

"다시 한번 말해 보라. 지금 뭐라 했지?"

그의 앞에는 다섯 명의 당주(堂主)가 있었다. 원래 여덟 명이 있어야 할 자리에 세 명이 빠져 있었다. 셋 중 둘, 흑승과 중합은 다른 원군들을 마중하러 나갔으나, 등활은 그렇지 않았다.

맨 우측의 인물, 한때 구천십지백사백마에 버금가는 실력을 지닌 사파의 고수였으나 지금은 규환(叫喚)이라는 명칭으로 북방군(北方軍) 휘하 당주의 책임을 맡고 있는 노인이 침착한 얼굴로 천천히 입을 열었다.

"늘 하던 대로 자신이 선봉의 역할을 맡겠다면서 기습을 시도했습니다. 이후 반 시진이 흘렀으나 아무 연락이 없는 걸로 보아 몰살당한 것 같습니다."

"뭐라고?"

현명군이 다시 물었다.

"그게 말이나 되는 소리인가? 끝까지 대기하라고 한 내 명령을 어기고 홀로 나선 것도 말이 안 되고, 설령 그리 나섰다고 쳐도 등활과 그의 수하들이 모조리 죽었다니 그게 진짜 말이 된다고 생각해서 보고하는 건가?"

규환은 여전히 침착했다.

"워낙 사위가 어둡고 폭우가 거친 까닭에 속하도 등활과 그의 수하들이 덤불 가까이 다가서는 것까지만 확인했습니다만…… 지금껏 아무런 소란도, 기척도, 소식도 없는 걸 보면 확실히 몰살당한 게 분명합니다."

"허어."

현명군은 어처구니가 없었다. 무엇보다 등활이 자신의 명령을 지키지 않고 움직였다는 것 자체가 황당할 따름이었다.

'역시 사마외도의 인물은 고쳐서 사용할 수 없는 겐가?'

현명군은 내심 그렇게 생각했다.

물론 머릿속으로만 떠올릴 뿐 입 밖으로는 절대 내뱉으면 안 될 생각이었다. 어쨌거나 지금 자신의 휘하에 있는 수하들 대부분이 사마외도의 옛 고수들이었으니까.

현명군은 입술을 깨물었다.

'이제 어떻게 해야 한다?'

논리적이고 이성적이며 합리적으로 생각한다면 역시 연합군이 당도할 때까지 무조건 기다려야 했다. 그들과의 거리를 유지한 채 상대의 움직임을 지켜보는 것, 그게 제대로 된 선봉장의 역할이었다.

'제멋대로 아무렇게나 쳐들어가는 게 선봉장의 임무가 아니란 말이다!'

현명군은 저도 모르게 주먹을 불끈 쥐었다가 재빨리 풀었다. 수하들이 지켜보고 있었다. 함부로 흥분하거나 이성을 잃는 모습을 보여서는 안 됐다.

현명군은 살짝 죽립은 들어 올려 밤하늘을 쳐다보았다. 하늘에 구멍이라도 난 듯 폭우는 쉬지 않고 쏟아졌으며, 사방은 칠흑처럼 어두워 한 치 앞도 제대로 보이지 않았다.

'어쨌든 상황은 바뀌었다. 등활과 수하들이 몰살당했다면 이렇게 마냥 대기하고 있을 수만은 없다.'

비록 합리적으로, 논리적으로, 이성적으로 생각한다면 여전히 계속해서 대기하는 게 옳은 선택이었지만, 세상일이라는 게 늘 이성적으로만 처리할 수는 없었다.

수하의 죽음을 두고 끝까지 인내하는 건, 다른 수하들에게 겁쟁이로 보일 수 있었다.

가뜩이나 배가 넘는 병력으로 대기만 하고 있는 까닭에 수하들의 불만이 팽배한 상황이었다. 등활이 현명군의 명령을 지키지 않고 멋대로 움직인 것 역시 바로 그런 이유에서가 아닌가.

예서 더 참으면 수하들에게 겁쟁이, 수하의 복수를 외면하는 자라[鼈], 왕팔(王八) 따위로 불리게 될 게 자명했다.

결국 현명군은 결정을 내려야만 했다. 그게 지금까지 자신이 지향하던 방식과 전혀 다르다 할지라도.

현명군은 다섯 당주를 둘러보며 입을 열었다.

"비록 내 명령을 따르지 않고 독단적으로 움직이기는 했지만 등활은 어디까지나 내 수하다. 그의 죽음을 절대 간과하지 않을 것이다."

어둠 속에서 다섯 당주의 눈빛이 빛났다. 현명군의 말이 계속해서 이어졌다.

"북방군의 명예와 자존심을 걸고 전면전을 벌이겠다. 전 병력을 동원하여 일시에 박살 내자."

순간 다섯 당주가 동시에 소리쳤다.

"존명!"

폭우는 여전히, 그들의 뜨거운 외침까지 송두리째 묻어버릴 정도로 거세게 퍼붓고 있었다.

* * *

다섯 당주는 곧 자신의 수하들이 기다리고 있는 곳으로 돌아갔다. 그들 다섯 당주는 이곳 북방군에 들어온 후, 등활이나 흑승처럼 모두 기존의 별호와 제 이름을 버리고 새로운 별호를 받았다.

규환이 그랬고 초열(焦熱)이 그랬으며, 아비(阿鼻) 또한 그랬다. 다른 두 명의 당주는 모두 여인으로 각각 청련(靑蓮)과 홍련(紅蓮)이라는 별호를 받았다.

청련과 홍련의 수하들은 강만리 일행이 숨어 있는 덤불숲에서 약 이백여 장 떨어진 덤불 더미에 각각 은신하고 있었다.

그들은 그녀들이 북방군에 들어온 후 심혈을 기울여 키

운 자들이었다. 어찌 생각하면 무기명(無記名)의 제자들이라고 할 수 있었다.

"안 그래도 피에 굶주려 있던 아이들인데, 전면전을 벌인다는 소식을 들으면 다들 환호하겠구나."

오십 줄의 늙은 여인, 과거에는 흑묘낭랑(黑猫娘娘)이라 불렸던, 하지만 지금은 청련이라는 별호로 불리는 여인이 입가에 미소를 띤 채 중얼거렸다.

그러자 역시 과거에는 독염지주(毒艶蜘蛛)라는 별호로 불렸던, 아름다운 외모와 매력적인 몸매로 강호의 뭇 호걸들을 유혹해 잠자리를 갖고 죽였던, 하지만 이제는 쭈글쭈글한 노파가 되어 홍련이라는 이름으로 불리는 여인이 히히 웃으며 물었다.

"누가 더 많이 죽이나 내기할까, 우리?"

놀랍게도 거침없이 퍼붓는 빗줄기는 그녀의 몸을 스치듯 미끄러졌고, 우장을 걸치지 않은 그녀의 전신은 이 엄청난 폭우에도 불구하고 한 방울도 젖지 않았다.

"좋아요, 언니. 그럼 뭘 걸까요?"

두 여인은 빗속을 뚫고 수하들이 은신하고 있던 덤불로 날아가면서 대화를 나눴다.

"글쎄. 나는 네 그 환희염라불상(歡喜閻羅弗像)이 탐나는데."

"어머나, 욕심도 많으셔라. 그럼 전 언니의 채양보음술

(採陽補陰術)을 얻기로 할까요?"

청련의 말에 홍련이 눈살을 찌푸리며 손을 내저었다.

"아서. 나도 채양보음으로 평생 젊음을 유지할 줄 알았더니 여든 나이가 되면서부터 이렇게 쭈글쭈글해지지 뭐니? 다 소용없더라."

"이보세요, 언니. 언니가 지금 몇으로 보이는 줄 아세요? 겨우 육십 초반으로 보인다고요."

청련이 웃으며 말을 이었다.

"게다가 젊음도 젊음이지만 무엇보다 언니의 그 막강한 내공이 탐이 나거든요."

청련은 이 태풍처럼 휘몰아치는 폭우 속에서 자신과는 다르게, 조금도 젖지 않은 홍련의 몸을 탐욕스럽게 훑으며 그렇게 말했다.

홍련은 여전히 풍만한 가슴을 내밀며 히히 웃었다.

"하기야 내공만큼은 내 유일한 자랑거리이니까. 내공만이라면 빙혼마고나 금강철마존도 내 아래일 거야."

"으음, 빙혼마고는 내공을 모두 잃었다는 소문이 있던데요?"

"그래? 무슨 일이래, 그 계집이."

"태극천맹의 지저갱에 갇혔을 때 송두리째 잃어버렸나 봐요. 그곳을 탈출한 다음 소식은 듣지 못했으니 이미 죽었는지 아니면 어딘가에서 신분을 감추고 살고 있는지는 모르겠네요."

"흠, 마음먹고 찾는다면 어디에 숨어 있는지 쉽게 알 수가 있을걸?"

"어떻게요?"

"내공을 모두 잃었다고 했으니 다시 내공을 회복하려 하겠지. 그리고 그 계집이 내공을 회복하려면 당연히 채양보음술을 펼칠 테고……."

"아! 주변에 갑자기 사내들이 해골이 되거나 죽어 나가면 바로 거기 있다는 거네요."

"그래. 그게 유일한 단점이라니까, 채양보음술의."

홍련이 주름투성이 이맛살을 찌푸리며 투덜거렸다.

"그렇게 흔적이 남으니 한곳에 오래 머물 수가 없어. 매번 자리를 옮기면서 사내들을 사냥해야 했거든."

"뭐 지금은 상관없지 않나요? 원하기만 한다면 얼마든지 제물을 가져다 줄 테니까요, 건곤가에서."

"그러니까 말이지."

이런저런 대화를 나누는 동안 어느새 두 여인은 수하들이 은신하고 있는 덤불 더미 근처에 다다랐다.

두 여인은 경공술을 멈추고 주위의 기척을 살폈다. 느껴지는 기척은 전혀 없었다. 심지어 수하들이 숨어 있는 덤불 더미에서도 사람의 기척은 전해지지 않았다.

"어머나, 그새 실력들이 늘었네. 내 이목에도 들키지

않을 정도로 완벽하게 은신해 있다니."

청련이 기쁜 듯 미소를 지으며 말했다. 홍련도 고개를 끄덕였다.

"우리 아이들도 마찬가지야. 뭐 물론 이 폭우가 상당 부분 아이들의 기척과 호흡을 가려 주는 덕분이기도 하겠지만 말이야."

"그럼 이따가 봐요, 언니. 저 먼저 가 볼게요."

청련은 홍련에게 손을 흔들고는 가볍게 몸을 날려 덤불 더미로 날아갔다.

"그럼 나도 아이들을 보러 갈까?"

홍련은 중얼거리며 청련이 날아갔던 덤불에서 약 십여 장 떨어진 덤불을 향해 몸을 날렸다.

쏴아아아!

장대비가 천지를 가르며 쏟아지는 한밤중이었다.

(무림오적 44권에서 계속)